馬　遜◎著

大學館

覺教揚帆

遠流出版公司

大學館UR052
覺教揚帆

作　　者——馬　遜
發 行 人——王榮文
執行編輯——呂健吉
出版發行——遠流出版事業股份有限公司
　　　　　臺北市南昌路 2 段 81 號 6 樓
　　　　　郵撥 / 0189456-1
　　　　　電話 / 2392-6899　傳真 / 2392-6658
香港發行——遠流（香港）出版公司
　　　　　香港北角英皇道 310 號雲華大廈 4 樓 505 室
　　　　　電話 / 2508-9048　傳真 / 2503-3258
　　　　　香港售價 / 港幣 116 元
法律顧問——王秀哲律師・董安丹律師
著作權顧問——蕭雄淋律師
2003 年 8 月 16 日　初版一刷
2004 年 1 月 16 日　初版二刷
行政院新聞局局版臺業字第 1295 號

售價新台幣 350 元　（缺頁或破損的書，請寄回更換）

ISBN　957-32-5007-1
YLib 遠流博識網
http://www.ylib.com　　E-mail:ylib@ylib.com

生命之自覺

生命之自覺

馬校長之覺表揚帆

癸未元月初 晚雲

覺我得成於忍中喜大喜

見太陽紅禪關已入安禪

地覺樹繁枝吞海叢

馬遴校長

妙峰近作並書於紐約

目　錄

自序

馬遜

　　我原是學科學的人，八年前為了應曉雲導師之約，放棄成功大學化學系的教職，轉換跑道，來到華梵大學主持校政。這些年來一頭栽進工作，週日無休，殫精竭慮，義無反顧，而此刻正值台灣教改如火如荼，華梵自無法置身事外。因此，對於外在環境的變化和衝擊，必須保持冷靜的態度，對於新政策和新方案必須了然在心，並思維因應之道；另一方面，面臨新世紀的挑戰，如何提昇學術，加強發展特色，樹立華梵學風，也是一項嚴峻的考驗。因此，有關教育方案的利弊得失，都會經過仔細思考、分析、研究、評估，提出個人的看法與建言，而其中最值得關心的，就是人文教育的議題。

　　在參加各種研討會時，也常接觸到許多不同的人，討論各種議題時，充分交換意見，因此有機會不斷充實自己，對各種問題也具有一定的想法。這是一種學習與成長的過程，我珍惜每一個機會，使我獲得豐富寶貴的經驗。

　　這本書，是蒐集近年來我在各種研討會所發表的論文，也有一些專題演講，和刊登書報的文稿。稍作整理後共

有二十篇，湊合在一起，準備出一本書，雖然論述主題紛歧，有科學、宗教、教育、藝術等，但都與「覺之教育」有關，蹉跎了好些日子，最後，決定以「覺教揚帆」四個字作為書名，表示「覺之教育」將出航的意思。

我把二十篇文章分成兩類，一是「覺教篇」，蒐集的是有關教育的論文，強調人文教育的重要性。另一是「心語篇」，是一些比較輕鬆、閒話心靈的散文。曉雲法師提倡「覺之教育」，是一種崇高的教育理念，「覺」是佛教的生命觀，也是佛教徒共同追求的目標，自覺與覺他，就是實踐智慧與慈悲。（覺行圓滿的境界太高，本書不遑論及）自覺是智慧的顯現，智慧是心靈的活水源頭；覺他是人際關係的發揚，是慈悲大愛的菩薩精神，能帶來人心淨化安定、社會安樂富強。

吾人置身於紅塵濁世，若人人懂得對生命作反省，並自我定位，身心必然恬淡自在。可是大部分 e 時代的年輕人，凡事以自我為中心，待人缺乏寬容，喜歡指責別人，而不思反求諸己。「覺之教育」旨在啟迪年輕人自尊自重、自律自強、仁人愛物、敬業樂群，以展現豐富的生命力。

最後，本書蒙曉雲導師賜贈墨寶，倍增光彩，十分感激。妙峰長老賜詩一首，以光篇幅。家母孫淡寧女士一闋〈水仙子〉，正好串聯本書各篇文章的內容，在此，向三位令人尊敬的長輩，致上最崇高及誠摯的謝意。

【母親的話】
水仙子（代序）　　孫淡寧

幾分科技幾分新，
幾分教育幾分情，
幾分宗教幾分誠，
漫談藝術人生，
更指向心智潛能，
願慈悲大愛，
人間撒遍，
共與耕耘。

輯一
覺教篇

生命之自覺

馬校長之覺教揚帆

癸未元月初 晚雲

「覺之教育」理念與實踐

前言

　　一所高等學府的成立，必然有其最基本的辦學理念。根據西方的大學理念，以研究、教學與服務為目的。對於中國的傳統教育而言，儒家以傳道、授業，佛教則以解惑、開慧為其中心思想。歐洲早期的英國大學脫胎於寺院。十四世紀初的英國大學，僅以教學為目的。十九世紀末，德國大學才把研究也歸列入大學的理念，如Helmholz所言：「在知識的廟堂加上一塊磚石。」今天台灣的大學沿襲美國體制，在教學、研究以外，加上服務，將大學的功能延伸至校園門牆之外。

　　縱觀今天台灣的大學有公立、私立兩種，早期的私立大學，部分是基督教（東吳、東海、中原）與天主教（輔仁、靜宜）所創辦，其中如東吳、輔仁是在中華民國政府遷台後的復校。民國七十八年政府再度開放私人辦學。繼元智工學院以後，七十九年陸續有幾所大學院校成立。其中華梵工學院（民國八十六年改制為華梵大學）更是有史以

來，第一所由佛教人士在中國土地上所設立的大學。繼之佛光山南華管理學院核准招生，玄奘人文社會學院，慈濟人文社會學院，佛光人文社會學院，以及法鼓山人文社會學院紛紛成立，並陸續改制為大學。佛教人士所創辦之大學愈來愈多。除了一般大學的理念以外，佛教辦學是否也應該秉持佛教精神，而在人文素養方面有所提昇呢？

作為中國土地上的佛教大學，基於深厚的中國文化傳統與感情，在理念上除了教學、研究與服務外，我認為更需加上一項「明德」，把品德的培養也列為大學教育理念的一環。並以「覺之教育」作為大學教育之最高目標。「覺之教育」是人文素養之提昇，最高人格的完成，也是人生終極的目標。太虛大師曾說過：「人成即佛成」，所以「覺之教育」就其廣義而言，也就是「成佛之道」。

覺與覺之教育

前約翰霍浦金斯的校長曾經說過：「如今大學的教育，只是在訓練擁有高等技術的野蠻人。」從這句話中，可以看出這位教育家對於大學教育如何痛心失望。今天我們的社會生病了，如何導正目前這體質羸弱的病態社會風氣，也唯有教育一途而已。教育是千秋大業，在樣樣講求速度與效率的今天，教育的確無法收立竿見影之效。然而，教育家必須具備宗教家的情操：開闊的胸襟、容忍的雅量、

非凡的氣度，和睿智的遠見、誠懇踏實、穩紮穩打，方能對百年樹人的教育事業有所貢獻。

　　佛教辦學，更應該將佛教的人生哲學，靈活的運用在教育上。佛陀不但是一位覺者，更是一位偉大的教育家。身為佛弟子，自應荷擔如來家業，將佛陀的教化發揚光大以利天下蒼生。

　　首先解釋「覺」之一字，古文「覺」通「學」，覺更含有覺醒、覺察、覺了、覺知、覺悟等多重意思。依照佛法中的「覺」，主要是「覺察」煩惱無明；「覺悟」無常苦空無我、涅槃寂靜。梵文中「佛」字，漢譯為「覺」，故「佛」即是「覺」，而「覺」即是「佛」。佛能自覺、覺他、而覺行圓滿。《金剛經》勸人：「發阿耨多羅三藐三菩提心」（無上正等正覺），就是啟發人性之本覺。

　　人生有許多的痛苦，也有許多的無奈。憂悲苦惱，誰能倖免？所謂「無業不生娑婆」。人生在不知不覺中匆匆劃過，到頭來，只落得「堂前明鏡悲白髮」。數十年後，誰又免得了「一坏黃土埋白骨」？佛眼看眾生，焉能不「終宵有淚」。覺悟之人，諦省諸行無常，諸法無我，自性本來清淨，則能化小我為大我，化痛苦為力量，而普度眾生，脫離苦海。

　　《法華經藥草喻品》所云：「佛平等說，如一味雨，隨眾生性，所受不同，如彼草木，所稟各異。」人之根性

不同，各各有別。有人先知先覺，有人後知後覺，而大部分人則是不知不覺，混混沌沌的過了一輩子。更有甚者，是為非作歹而一錯再錯，終至瑯璫入獄、抱憾終生。

至於後知後覺者，或能見賢思齊，及時悔悟，浪子回頭金不換，放下屠刀立地成佛。或則滾滾紅塵數十年，突然省悟人生真諦，為一大事因緣離俗出家，而修成正果。近代高僧弘一大師即是最好的例子。雖然他前半生在富貴名色中度過，然而披剃後的弘一大師，嚴守淨戒，發度眾生之宏願，同時也超越了自己、成就了自己。

先知先覺者並不多，如六祖慧能大師聽得一句「應無所住而生其心」，即時大徹大悟。近代高僧八指頭陀敬安禪師則是因吞進狗食，脫口說出「不垢不淨」，當下豁然開朗。種種根器，只在於一個覺與不覺，悟或不悟，而有不同。

華梵大學的創辦人曉雲法師提倡「覺之教育」，事實上，覺之教育並非法師所首創，釋迦佛早在兩千多年前，說法四十九年，五時八教，示現「般若將入畢竟空，絕諸戲論；方便將出畢竟空，嚴土熟生。」無一不是「覺之教育」。佛法是心法，因此佛教的教育是「教心」。若單從教育制度或是由考試的方式來「改革教育」，可能對專業知識的傳授尚有些助益，但對於移風易俗，則完全派不上用場。啟迪智慧，淨化人心，必須重視心性的教育。

「覺之教育」的特質

　　談到「覺之教育」，具備有下列的六種特質：

　　一、心靈的教育

　　二、自發的教育

　　三、智慧的教育

　　四、人本的教育

　　五、全面的教育

　　六、終身的教育

一、心靈的教育

　　人類的社會活動，是由心來掌握。心是機器的樞紐。人的心非常複雜，起心動念，皆由煩惱無明業力牽引，表現出善惡是非。佛法是心法，所謂：「萬法唯心」。佛教的修行，最重要的就是修心，也就是「調心」，《四十二章經》有「調心如調弦」的譬喻，弦過鬆則不成曲調，弦過急則將斷矣！由心靈的調伏淨化，來達到轉識成智，三業清淨的目的。

　　「時時勤拂拭，莫使惹塵埃。」神秀大師的偈語雖未臻徹底的大覺大悟，然而卻是修行人必經之路。如懺悔、行善、念佛、禪坐皆是淨心的功夫。五祖雖指其尚未開悟，但我等凡夫切不可輕視此一漸修心性、自我反照的功夫

。有幾人真如慧能大師的智慧，能悟得「般若性空」，省知「明鏡非台」？《壇經》曰：「本來無一物，何處惹塵埃」，近代天台宗東北三老卻指出：「本來無一物，唯有四悉檀。」四悉檀是包羅宇宙大千世界的，事情可就多了，但也正闡明了大乘佛教度眾生的悲心。

二、自發的教育

覺是自覺，是積極而主動，發自內心深處的行為。修行要靠自己。單講理論，而無實踐，正如畫餅不能充饑，必須親身去體驗。我佛靈山修行，就是示現眾生，如何自我教育，如何「全性起修，全修在性。」

曉雲法師云：「人之本性，如樹木之根生，故云：『根性』。根，要培養，吸收自然之養素，然後根深柢固，枝葉繁茂，華果開敷。」

人從何處起修？從六根起修。六根者，所謂眼、耳、鼻、舌、身、意。《譬喻經》有「如龜之藏六」，如大勢至菩薩都攝六根，勿令放逸也。至於觀世音菩薩，則是一門深入，自耳根起修：「初於聞中，入流亡所，所入既寂，動靜之相，了然不生，如是漸增，聞所聞盡，盡聞不住，覺所覺空，空覺極圓，空所空滅，生滅既滅，寂滅現前，忽然超越世出世間，十方圓明，獲二殊勝。」示現菩薩一門深入之次第。

三、智慧的教育

　　佛所說的智慧，有別於一般的智慧，梵語「般若」（Prajna），漢譯作「妙智慧」。「般若是無為法，但卻無所不為，它能行方便、度眾生。」（樂果上人語）。根據蕅益大師的註解，般若有三：即文字般若、觀照般若、和實相般若。

　　語言文字是具體的，喻般若之「相」光明。例如：書報、電話、電腦、電視皆是資訊的來源，《大未來》的作者托佛勒（Toffler）說過：「資訊即是力量。」（Information is power）無論用眼看，或用耳所聽的見聞，都是一種知識的累積。若能善用耳目，獲得佛法之正知正見，那就是文字般若。

　　觀照般若是自我「返照」的教育，能破煩惱無明，故觀照為般若之「用」。向內觀照有如一盞明燈，進入暗室，大放光明、遍照無礙。又如太陽出來，烏雲消散，陽光普照，觀照是內省的功夫，如觀世音菩薩，「照見五蘊皆空，度一切苦厄。」就是因為他行深般若，功夫純熟故。

　　至於實相般若，是般若之「體」。實相無相，因般若性空。大覺妙慧，妙用無窮。故曰「真空妙有」。這是由於觀照純熟所證得的。

四、人本的教育

佛陀在雪山修行，菩提樹下，覺悟到「一切眾生皆有如來智慧德相。」所以「一切眾生，皆能成佛。」又說：「佛與眾生，等無差別。」在佛陀那個時代，婆羅門在印度四姓中，是至尊至貴的，其次是剎帝利、吠舍，而最低賤的則是首陀羅。佛陀首先打破了不平等的種族階級觀念，把佛教建立在「人本精神」出發的「平等觀」上。是有史以來唯一以柔和方式闡揚人權平等的社會改革家。

「佛法不離世間法」。《壇經》亦有：「佛法在世間，不離世間覺，離世覓菩提，恍如求兔角。」佛教是為人所說的，是度眾生的宗教信仰。除了智慧，還有慈悲，菩薩度生，當發「大悲心」。若僅有「智慧」而缺少「慈悲」，佛陀斥之為「焦芽敗種」。

五、全面的教育

佛陀說法四十九年，其教化普及的層面極廣。遍及天文地理、心性唯識學、社會教育學等。佛法尤其重視人際關係，及倫理道德。如四攝法之布施、愛語、利行、同事。《華嚴經》云：「菩薩入世，當向五明處求。」所謂五明即內明、聲明、因明、醫方明和工巧明。菩薩為了度眾生，要研究世間各種學問，包括宗教哲學、語言文字學、邏輯學、醫藥學，及科學技能等，可說是全面的，以因應

社會發展，造福人類，所以佛法是不離世間法的。

六、終身的教育

　　三藏典籍，浩瀚如江海，而學無止境，修心學佛，不單一世，是生生世世，累生累劫，行菩薩行，利益眾生，不到成佛之日，此一「自覺的教育」，必然持續至永遠。

　　「覺之教育」是通向「成佛之道」的教育，對人生的影響當然密切。學佛之人，心中有信仰，能懺悔業障，修心養性，念佛修禪，澄懷靜慮。而智慧滋長，煩惱不能侵擾，必能事事安樂吉祥。

覺之教育的實踐

　　要實踐覺之教育，所需具備的條件就是時、地、人，亦即天時地利人和。

　　所謂「時」，就是教育必須把握適當的時機。機會稍縱即逝，機會需要掌握。故天台宗把佛陀說法分類為「五時八教」，即是契合眾生之機。又如佛陀講經說法，必須具有六種成就：即信、聞、時、主、地、眾，而置之於一切經首，以昭信於天下。其中之「時」，即是指「說聽究竟之時」。

　　其次是「地」，人是感情動物，鮮有不受環境之影響。就大學而言，即校園的環境，金耀基先生說：「在校園

裡，一草一木精妙的安排，和四周景物的變化，若非麻木的人是不會不產生感應的。這種物的環境能令人的氣質在不知不覺間受到薰陶。」「佛陀誕生於藍毘尼園無憂樹下，修行於伽耶山中，行化於竹林下、孤獨園、庵摩園等，終於雙林示寂。」

曉雲法師規劃華梵校園，先覓地於環境清幽、景色如畫五百五十公尺高的大崙山，不設校園門牆，而自然形成天然屏障與外界相隔。朝雲暮日，鳥語花香；四時風景，各有千秋，是人傑地靈之地，此謂之「景教」。校園內所規劃的景點，各含深意：如大學之道、菩提大道、飲水思源、三友路、法雨潤人華、阿育王柱、百丈寮、精進軒、讀書亭、自然教室、心鏡湖、文物館、院覺室等，皆是以啟發青年人對於自然的認同及嚮往，此謂之「境教」。

當然最重要的因素還是在於「人」。教育必須仰仗教育工作者，也就是教師本身。儒家提出言教與身教、而佛家尚有默教。教育者本身的品德、動默舉止，均對學生產生一種直接的影響，此之謂潛移默化。所以一位好的教師，不但是一位「經師」、同時還是一位「人師」。釋迦牟尼佛具足三千威儀、八萬細行，故能攝化眾生。《法華經》有：「以慈修身，善入佛慧」，應為教育者的座右銘。

「覺之教育」是一種崇高的信仰和理念。必須在生活之中落實，才會有價值和意義，對人生也才會有貢獻。在

華梵，覺之教育是根據儒佛思想相輔相成而落實的一種方式。儒家講的是五倫八德：而五倫就是：君臣、父子、夫妻、兄弟和朋友，而八德即是「孝悌忠信禮義廉恥」。至於佛家所重的是慈悲與智慧。教育是一種藝術工作，佛經裡有「四攝法」：布施（滿足其對於知識的需求）、愛語（連眼神表情都要注意親切和藹）、利行（善用方便）、同事（凡事站在對方的立場想想）。

太虛大師云：「仰止唯佛陀、完成在人格」，所以本人認為今天的大學在理念上，除了教學、研究、服務外，還要加上「明德」。「覺之教育」旨在達到最高的人格。儒家謂「止於至善」，佛家謂「成等正覺」。儒佛相輔相成，融合匯通，是人文教育的最高發揚，是中華文化的瑰寶，放之四海而為準，故期有心於教育之同仁，共舉「覺」旗，朝人生至高真善美的道路上，攜手邁進！

一九九六年十一月一日講於佛光山
「亞洲宗教與高等教育國際學術會議」

「覺之教育」的功能與時代意義

前言

在過去的一世紀，人類已經邁入一個以資訊科學主導的新時代，產業結構、社會生態都發生了巨大的變化，生物科技更是一波波的突破，帶來人類有史以來從不曾有過的大變革。新的資訊和新的衝擊，推動著人類文明的步履，快速不停的向前行。由於急劇的變動，所帶來的不穩定因素一時很難消化，因此導致社會許多動盪和災難。此刻若能放慢一下腳步，思考人類的品質如何提昇、教育如何開拓永續經營和發展，對於未來的建設該有重要的影響。

在事事講求速度與效率的今天，社會生態的變化，名利權勢的追逐，和性觀念的開放，影響年輕人心理極巨，未來前景堪憂。

如今科技發展迅速，人文科學卻似在原地踏步，網路的普及已正式帶領人類邁進資訊時代；DNA排序完成，基因工程一日千里，令人目不暇給。然而，無論科技如何的突飛猛進，人類不應當得意忘形，而該當有所節制，冷靜

思維新科技應用的正當性及合理性。對於不可知的後果，應加以分析評估，以免因無知導致的後遺症如洩洪般一發不可收拾。

「覺」是佛陀在兩千多年前所悟出來的真理，是對治人類心病的最佳良藥，雖然距今年代久遠，卻仍舊能夠從人性根本來解決問題。所以說，佛法不受時空的限制，能帶給人類光明與希望。今天，佛教界理應以現代語言對佛法內容加以詮釋和整理，使其成為二十一世紀幫助人類心靈的知識體系，這也是我們努力研究的方向和目標。

人類的危機

我們只有一個地球，地球正在老化中，人類還不知道愛護她，甚至不斷加以破壞。為了極力發展工業，污染了大地、山川變了顏色。人們為了私慾私利，建造豪宅和高爾夫球場，濫墾濫伐，大自然反撲了，如水災、地震、土石流，甚至山崩路塌，造成嚴重傷亡。

河流中的污濁，高濃度的重金屬；空氣惡濁品質更嚴重危害人體健康。近年來牲畜常患怪病，如狂牛病、口蹄疫、雞瘟等；新鮮的蔬菜水果，也含有農藥殘留物，台灣情況尤其嚴重。如今基因改良食品上市，這種農作物，在有些國家是被禁止的，而台灣人吃了還不自知。人類生活在一個慢性毒害生命的環境，這環境是由自己一手造成，至

今卻仍不知覺悟，甚至沈迷在不斷締造新問題的快感中。

世界各地烽煙不斷，人口分佈不均，貧富懸殊，溫室問題尚未解決，臭氧層的破洞愈來愈大，人類正為忽略環保所造成的災害，付出慘痛的代價。

資訊拉近了人與人之間的距離，網路無遠弗屆，緊繫地球村所有網民（netizen）。網路是一個虛擬的社會，與真實社會的生態相近，卻又並非全然相同。令人憂慮的是，違反社會公義的罪惡，得以在無國界的網路上任意橫行，當人類的生活愈依賴電腦時，它將益發控制人類一切作為，且因其超越國界，使犯罪的時間地點難以防範，國際間若不能研究出一套共同打擊罪犯的方法，則這種危及全人類的罪惡可得逍遙法外。國外架設的網站不斷向台灣輸入色情暴力，卻不能將歹徒繩之於法。人類的好奇心不斷延伸，探索追尋，在這知識爆炸的時代，來不及將知識反嚼，就作出立即回應，難怪會導致不可彌補的災難。

另一種新趨勢，就是科學家扮演起上帝的角色，控制基因、複製生命。美國科學家取出已死的印度野牛的冷凍基因，注入一頭普通牛的細胞，使它分裂，成功複製出稀有的印度野牛。自從一九九七年桃莉羊複製成功後，全世界各地科學家使用不同動物嘗試複製。他們興奮的宣佈著成功複製寵物和瀕臨絕種動物的訊息。在這種不尋常的氣氛下，雖然各國政府一再宣稱禁止複製人，但道德的約束阻擋不

了人類的好奇心，第一個複製小生命已於二〇〇三年春天誕生。

基因是原活體的一部分，如果一個基因演化為一個生命，那麼分化培植出來的新生命，與原活體之間的關係是什麼？新技術已經徹底顛覆人類傳統的價值，未來對人類的影響難以評估，切不可等閒視之。各國政府實在應加強對人文的研究，與科技賽跑，與時間賽跑，讓人文科學在最短的時間裡，擬出頭緒以因應新世紀的新局勢。

「全球倫理」與佛教五戒

如今全球科學家、宗教家、教育家已開始對新知識進行正反面評估，有識之士皆呼籲人類回頭。然而打開潘朵拉盒子的衝動是那麼的強烈，稍一不慎，即可能演變成人類的浩劫。日本物理學家加來道雄提到：「沒有任何方法可以完全中斷科學的進展，但是我們必須設法謹慎控制科技，免得逾矩。遺傳學研究的某些層面，也許需要完全禁絕，不過最好的全面政策，就是公佈遺傳學研究的風險和潛力。對於科技為了減輕病痛所採取的方向，用民主方式加以立法規範。」

我們所面臨的時代，是有史以來的大變動。人類究竟何去何從，不只是科學家關心的問題，更是世界各大宗教所關心的問題。宗教間正嘗試為人類找尋一個共同的道德基

礎，歸納出一個「有約束力的價值觀」。德國神學家孔漢思及庫雪爾於一九九三年八月三日的世界宗教議會上，提倡「全球倫理」，並獲得六千五百位各國宗教人士通過該宣言，共同遵守其中四項準則：

　　1. 建構非暴力及尊重生命的文化

　　2. 建構團結一致且具公正經濟秩序的文化

　　3. 建構互相包容及具有真誠生活的文化

　　4. 建構兩性之間具有平等和伙伴關係的文化

　　該四項準則的內容，與佛教徒所信守五戒中的前四戒（殺、盜、淫、妄）相通。戒，是消極的止惡防非，對於具體可見的罪行，法律才會予以制裁。該四項準則以現代文字對「全球倫理」作出積極正面的呼籲，值得支持與肯定。

　　佛教五戒與其他宗教的戒，有程度上的差別，例如戒殺，佛教戒殺的對象不單是人，對一切生命都不可以隨意殺害。佛教的慈悲不單施與人，而是延伸至一切眾生，對天地萬物充滿珍惜愛護之情。自佛教傳到中國以後，主張吃素。儒家雖也有「聞其聲不忍食其肉」，但只能做到「君子遠庖廚」。中國人常言，上天有好生之德，螻蟻尚且貪生，萬物之存有，豈是為了果人類口腹？佛教不忍眾生受苦，是發大悲心，戒殺是培養大悲心的方法，因此放生成為千年以來寺廟的例行活動。佛教視狩獵垂釣是犯殺戒的，這一點似比任何其他宗教來得徹底。

佛教以平等對待一切眾生，從三世因果的觀點行忍辱慈悲。如今美國攻打伊拉克，中東又再燃起戰火，全球進入緊張狀態，而戰爭並不能解決問題，仇恨的禍根一日不除，就像一顆隨時可能引發的炸彈。印度佛教史上，曾遭遇回教入侵，大肆破壞寺院，影響至今猶存。佛教傳入中國後，經歷三武滅佛，文革時更是史無前例的浩劫。越南吳延琰時代的高壓，逼得出家人自焚。佛教即使處於高壓下，卻未發生過戰爭。佛教基本上是以和平方式去應對暴力和不平等，「以牙還牙，以眼還眼」只會結下更深的仇恨。

佛教的第二戒是「不偷盜」，將財物占為己有，其起因來自人性的貪婪。佛教重視布施，「施捨」是對治貪婪的不二法門。「布施」是針對別人需要而無代價的付出。布施有三種：一是財施，指有形物質的施捨。二是法施，是以真理教化啟發他人。今天社會上同行間互相排斥、爾虞我詐，一切以本身利益為依歸，不願傳授自己的真學與經驗，就是吝法不捨，是與佛教精神相違背的。第三種布施稱為無畏施，當別人遭遇困難、脆弱無助的時候，若能以智慧的開導，解決他的困難，給予信心和勇氣，就是無畏施。觀世音菩薩有一種稱號為「施無畏者」，所以當民間老弱婦孺，遇到驚慌失措之時，即持誦觀世音菩薩聖號，可以安頓心靈。

現今社會性觀念開放，佛教第三戒是「邪淫」，除夫

妻之間的敦倫外，其他性關係一律都是被禁戒的。當今之世，由性愛所滋生出來的問題叢多，常是導致夫妻失和離異的原因。當婚姻破碎時，直接受害者必然是孩子。部分孩子甚至會自暴自棄，迷失方向，造成社會問題。如今年輕男女不婚而育的情況愈來愈多，網路「一夜情」方興未艾，涉世未深的青少年受騙沈迷；而墮胎的少女，不僅身體受傷，良心也會不安，導致情緒和生活受到很大的影響。從佛教的觀點，墮胎是犯了殺戒。

　　第四戒是「妄語」，謊言是破壞互信的殺手，人若無信，則無法與其他人相處共事。社會上的「偽君子」比真小人還可怕，沒有人可以一輩子欺騙別人，當真相曝光時，信用破產，再也得不到信任和朋友的扶持，唯有誠懇忠貞才能贏得永久的友誼。

　　第五戒是酒戒，飲酒傷身亂性，言語行為失去理智，有人借著酒膽作姦犯科，酒後開車也會釀成悲劇。當然，必要時好友相聚，淺嘗酌飲，化干戈為玉帛，也有先例可循，所以此戒較輕。在今天這個時代，毒品比酒更糟，年輕人一旦沾上毒癮，則後患無窮。有些癮君子，在毒癮犯時，可以傾家蕩產，偷竊強盜，無所不為。毒梟販子，為了謀取暴利，戕害了無數青年，真是罪大惡極。

覺之教育

曉雲法師提倡「覺之教育」，是劃時代的創舉，能徹底救助人類解除苦難。「覺性」人人本有，超越一切分別相，清淨平等，卻無窮妙用，人類因種種執著而不能覺知。《楞嚴經》中佛陀開示阿難，審視因心果覺道：「眾生本具之因心，即如來所證之果覺；而如來所證之果覺，即眾生本具之因心，故因心果覺，本來不異。」佛是已悟的凡夫，凡夫是未悟的佛。人人皆有成佛的潛能，只因迷失心智，所以不覺，如同夢中人渾渾噩噩，醒來夢境成空，又如失心瘋者，若得良藥，即可除病，恢復健康，這一種道理，與其他神教不同。換句話說，如能秉持正道，修學薰習，必能勘破煩惱無明，獲得大智慧，一切問題均消弭於無形。

曉雲法師說：「如果用一個字代表佛教的真理觀，那就是『覺』」。「覺」具有慈悲與智慧兩面，智慧能坦然面對人生，身處順境時，奮發向上，精進超越；遇上逆境，能冷靜面對困難、解決問題。有了智慧，不論富貴貧賤，生老病死都能身心泰然。這種智慧潛能需要向內自我開拓，慈悲是以平等為懷，心繫一切眾生，善待一切眾生，予樂拔苦，就是發揚人性最高貴的情操。

「覺」是認識自己，徹悟真理。「覺」字含三重意義

，所謂自覺、覺他、覺行圓滿。《三藏法數》：「一者自覺，悟性真常，了惑虛妄；二者覺他，運無緣慈，度有情眾；三者覺行圓滿，謂歷劫修因，行滿果圓，是名為佛。」

慕尼黑大學布洛克（von Brück）教授提出：「以智慧與慈悲作為全球倫理的標竿」，人類文明演化數千年，不斷創造新知，構成層層羅網，卻不幸的將人類困在其中，彷彿吐絲的蠶，作繭自縛。除非能自覺，才能回歸本來純淨，破繭而出。

「覺」之教育，可以歸納為以下四點，落實在日常生活中。

一、提起正念，收攝六根

曉雲法師開示說：「吾人起念如下種子，善念是福田的種子。有正念才有正思維，要有正語才有正命。」正念好比一顆種子，種善因得善果。身、語、意三業清淨，行住坐臥，不離正定，就是覺悟的生活。

收攝六根是修習正定的方法。人的六種官能（根），眼、耳、鼻、舌、身、意，相當於心的門戶，六根追逐外界的六種情境（塵），色、聲、香、味、觸、法，而產生六識：見、聞、嗅、嘗、覺、知。識就是分別心，起心動念，計較執著，起惑造業，造成個人、家庭、社會的不安。若人人都能將眼、耳、鼻、舌、身、意六根，向內收攝

，則煩惱不生，惑業不起，事理如法，身心安泰。

二、理性思考，反觀內明

對於世間一切諸法，應以客觀、理性的態度加以觀察，就不會受到情緒影響而滋生事端。理性思考就是「正思維」，以覺性審視事理因果，故能明察秋毫。《增廣賢文》云：「靜坐常思己過，閑談莫說人非」。「人非聖賢，孰能無過，知過能改，善莫大焉。」檢視自己的過失，改過遷善，所謂「不二過」，就是自律自強，例如周處除三害，浪子回頭，人格品質提昇向上，就是覺性的彰顯。

凡事反觀內省，如同在心室點上一盞明燈，心中之貪、嗔、癡，就會頓時消散。《天台小止觀》云：「止乃伏結之初門，觀是斷惑之正要。止則愛養心識之善資，觀則策發神解之妙術。止是禪定之勝因，觀是智慧之由藉。若人成就定慧二法，斯乃自利利人。」「止」與「觀」正是入定慧之門。

三、慈悲平等，尊重包容

菩薩精神的最高體現就是慈悲，所謂「行無緣慈，運同體悲」。維摩居士云：「眾生有病我有病」，就是慈悲。《華嚴經淨行品》中，念念不捨眾生。為什麼佛教的慈悲如此殷切呢？這是由於佛陀偉大的平等觀，是絕對的平

等，人人皆能成佛，所謂「佛與眾生，等無差別」，這種觀念在二千五百多年前，階級森羅的印度，是很難被接受的。在佛教僧團中，王孫貴族與貧窮賤民共聚一堂研究真理，當時的確是一件不可思議的事情。

人與人之間彼此尊重，則爭端可息，對天地萬物常懷感恩惜福之心，尊重自然，尊重生命。大自然是人類之母，滋育萬物，自工業革命以來，世界各國為其本身經濟利益，過度開發和浪費能源，破壞生態。吾人當反省思維，人與自然之間和融共處之道。

暴力、殺戮、戰爭，皆是來自人類的瞋恨心，「一念瞋心起，百萬障門開。」尊重自己、更要尊重別人，就不會有煩惱。《法華經》裡有位常不輕菩薩，見到其他修道之人，就恭謹禮拜說：「我深深的敬重你們，不敢輕慢，因為你們都在行菩薩道，將來必定都能成佛。」這一份禮敬的心，是現代人所缺少的。尊重包容，就是成就慈悲的第一步，也是民主精神的真諦，更是和平共存的基礎。

四、終身學習，歡喜精進

蕅益大師云：「學者，始覺也。」人的一生中，不斷的學習成長。新時代的來臨，對於專業知識的追求固然不可放鬆，而對德慧的增進更需努力，《中庸》提出讀書的五個步驟，「博學，審問，慎思，明辨，篤行」，彼此環

環相扣，若能如此下功夫，則「雖愚必明，雖柔必強。」人生何其幸能一窺學術殿堂之美妙，所以說：「學而時習之，不亦悅乎。」向內開拓智慧，向外精進修學，「苟日新，日日新，又日新」，心境愉悅輕鬆，人際關係必然調和，事事如法，無不如意。

　　「覺」是從心靈出發的人本教育，當今之世，若能簡化這一層道理，闡揚覺教的功能，使人人易懂、個個能行，則人與人之間彼此尊重包容、互相珍惜關懷。如此必有助於人格之提昇，倫理之維繫，社會之淨化。人人心中有個中心思想，人生才有方向，做起事來，皆能合情、合理、合法，生活得自然踏實穩健，未來才會充滿光明與希望。

二〇〇〇年十月二十八日講於華梵大學

「覺之教育研討會」

生命的自覺

　　生命是什麼？生命是一台戲，隨著鑼鼓喧天，粉墨登場，曲終人散，幕落悄然。生命是一場夢，李後主云：「夢裡不知身是客，一向貪歡。」黃粱一夢中，榮華富貴、妻子兒女，醒後不知所終。

　　生命是一段旅程，我們都是過客，人生的旅途中，有時風和日麗，有時驚濤駭浪，生命有順境也有逆境，每個人的成長環境不同，各有各的因緣，各有各的宿命，因此，每個人都必須單獨面對自己的人生，向它的艱難挑戰。

　　生何曾有，死何曾滅？茫茫生死海，芸芸眾生，何以自處？

　　唯有覺！

生命教育

　　自前教育部長曾志朗先生推動生命教育以來，學界多有響應。「生命教育」（Life Education）一詞，來自一九七九年在澳洲成立的「生命教育研究中心」，該中心成立的主要目的在於「藥物濫用，暴力與愛滋病」的防制。然而「

生命」這個詞彙，本身並無善惡，定義尚未明確，內涵也亟待加強。目前國內比較熟為人知的教育模式，是全人教育和覺之教育兩種，「全人」二字彰顯「完成人格」的正面意義，而「覺」，也明確道出積極的教育目的，這應當是生命教育可以參考和整合的。

長久以來，我國教育急功近利，導致理想性的失落、重科技而輕人文，這也是造成今日社會亂象環生的原因之一。今天談教育改革，不可單從制度面和技術面著手，而應從心靈教育出發，探討生命價值與意義、建立正確的人生觀、尊重生命及實踐至高人格的主張，才能發揮實質淨化社會人心的功效。

國內提倡全人教育的有輔仁、中原等天主教及基督教學校，華梵大學則以「覺之教育」為理念。由於全人教育中提及對天、對人、對自然、對自己的四重關係，而基督教將「天」解釋成創造宇宙、無所不能的唯一真「神」，這一觀念，無法取得佛教人士的認同。

佛教強調人人有「覺」，故曉雲法師提倡「覺之教育」。然而此一覺性，受到無明煩惱遮障，無法開啟。若能體悟到人生的真實本源，則與佛無異。覺分為自覺、覺他、覺行圓滿三個層次，自覺是智慧，覺他是慈悲，覺行圓滿是覺的至高境界。「覺」以妙智慧為「體」，然該本體被煩惱無明遮掩，唯有透過持戒禪定，從生活中實踐，以達

到妙智慧的啟發。覺之「用」是慈悲利生，不單悲憫人類，更延伸至飛禽走獸一切眾生。佛教人士吃素放生，也是源於愛護生命、尊重生命的理念，比一些保育團體更為積極。智慧與慈悲，好比鳥之雙翼、車之二輪，是同樣重要的。

「全人教育」與「覺之教育」兩種模式，都是建構在人類文明史上兩大宗教的基本信念。目前的情形下，二者很難融通。因為佛教人士不可能要求基督教徒相信「一切眾生皆有佛性，一切眾生皆能成佛」，而佛教徒也不相信「唯一創造宇宙萬物、萬能的神」的概念。

近年來，各宗教都大聲疾呼世界宗教間對話，這是個可喜的現象，雖然基本立場略有不同，但宗教的目的都是為人類找出可依循的方向，解決人類問題，和平共存，相互尊重，而殊途同歸。在這種立論上，二十一世紀的多元文化中，應可以容許在「生命教育」的架構下，出現不同的演繹版本。

覺與覺者

根據《佛光大辭典》：「梵文Bodhi，音譯為菩提，即證悟涅槃妙理之智慧，舊譯為『道』，新譯為『覺』。」「覺」原文作菩提，又作覺性，是明明朗朗的智慧，是生命的本源，也是生命的本體。若作為動詞，「覺」含有覺察

與覺悟兩重意義，「覺察」用以對治無明和煩惱；「覺悟」用以對治所知障。

「佛」這一稱號，來自梵文Buddha，意即「覺者」，佛教不是一種神權的宗教，因此佛陀不是神，而是一位徹悟真理、圓融無礙的人，故稱為「覺者」。釋迦牟尼佛是佛教的教主，人間的覺者。他說法四十九年，廣被天文地理，涵蓋生命哲學、社會學、政治學等範疇，特別是法相唯識，般若思想，講解心性之學，是世上任何其他宗教與哲學所罕見的，所以梁啟超說：「佛法是治心之學」。

昔日，釋迦牟尼佛在菩提樹下，夜睹明星而徹悟宇宙的真諦，他說：「奇哉！奇哉！一切眾生皆有如來智慧德相，只因顛倒妄想，不能證得。」所謂「如來智慧德相」，就是「覺」，這種覺性，與生俱來、不假外求，是至高無上的智慧本體。即所謂無師智、自然智、一切智。有了「覺」，人生不會迷惑、不會顛倒、更不會產生煩惱，所以說：「轉識成智」，「轉煩惱為菩提」，還可以「轉苦為樂」。佛陀以他的一生，開導我們覺悟的方法，從他的言行舉止，我們可以體悟生命的本質，是如何的尊貴。

覺與學

人要有智慧才能覺悟，可是人的根性各有不同，《論語》有云：「生而知之者，上也；學而知之者，次也；困

而學之，又其次也；困而不學，民斯為下矣！」蕅益大師指出：「學者，始覺也。」從辭典中，可以發現「覺」字通「學」，所以學習就是智慧的開始。生而知之，是先知先覺者，絕世奇才，一點即通，智慧自然從心中湧現，但這種人不多。如唐朝六祖慧能禪師，是一位獵人，家境清貧，沒有受過高深的教育，一日聽人讀誦《金剛經》：「應無所住而生其心」時，當下即有所悟，後從五祖黃梅學禪，終成影響最為深遠的一位禪師。民國初年，八指頭陀敬安禪師是個孤兒，與弟弟相依為命，出家後在廟裡擔任火頭僧，只做些粗重工作。他見野狗可憐，把自己的飯菜盛在盤子裡餵狗。一天方丈正好經過，他一時情急，把骯髒的狗食抓起來吞進肚子裡。當下靈光一閃：「不垢不淨」，隨即開悟。這些人是宿世因緣，一觸機即大徹大悟。

另一種人，是學而知之者，也可以稱之為後知後覺，讀書研理借取先賢的經驗和智慧，整合成自己的一部分，啟發內在的本覺（覺性），繼而接受真理，徹悟真理。透過學習而獲得正知正見，好比在心室點上一盞明燈，黑暗頓時消失蹤影。借助外緣加上本覺（覺性）內薰，慢慢就培養出智慧來。

有些人天份能力不高，但力爭上游、鍥而不捨，努力學習，以勤補拙，也有成功的一天。至於「困而不學，民斯為下」是最難度化的一群。有一種人，醉生夢死，荒誕不

經；有一種人，自暴自棄，走肉行屍；有一種人，偏頗固執，不明是非；更有一種人，任性胡為，囹圄入獄。更有甚者，假釋出獄後，卻又故技重施，為非作歹，危害社會。他們沒有機緣遇到善知識接引提攜，以致不知悔改，愈陷愈深。

我們身而為人，已是一種福份，不應當渾沌消磨歲月，心頭若被禁閉起來，好像困在籠中的小鳥，掙不脫這個圈圈。與小鳥不同的是，若能謙遜虛心，接受善知識教化，必能釋放我們的心靈，使它獲得大自由。

迷途知返是「覺」

「覺」的相反是「迷」，既然人人有覺，為什麼還會顛倒起煩惱呢？這是由無始無明所致，就如同投下一枚煙幕彈，散發出層層煙雲，把真心覺性遮住了。一念無明的種子，在心田中漸漸萌芽蔓延，好像長滿荊棘芒草的園地，智慧花朵就很難開放。覺性被遮蓋的人，經過無始劫的生死輪迴，從身、語、意不斷起惑造業，墮落六道之中。「業」是生生世世的思維造作，在識田裡所累積的一股力量。「業」又分白業與黑業，白業驅使人為善，黑業驅使人為惡，若是惡業深重之人，必須發大願，盡心行善，否則隨著黑業牽引，將墮入萬劫不復的深淵。

面對生存的大環境，佛陀啟示我們，開啟心靈覺性，

好像撥開雲霧見朗日，獲得安詳與自由，若時時生活在覺中，則能發揮內在潛能，不單可以幫助自己，還可以幫助他人。另一方面，由於覺，即使面對錯綜複雜和波濤洶湧的人生，社會國家變遷所帶來的衝擊，也能減少一些困惑和焦慮。不管路途多麼坎坷，都能做出一個正確的選擇，走出一條康莊大道來。

儒佛融通談「覺」

所謂自覺，就是反求諸己。「覺」之一詞，雖出自佛典，但意義深遠，不是佛教的專利品，而是融通儒佛人文精神的最高發揚。我們提倡「覺之教育」，是感到「人心唯微，道心唯危」，若要導正政治、經濟、科技迅速發展所帶來價值混淆，唯有「人人自覺」，以理性思考、反觀內明、自我檢討、自我轉化，才能安頓人心，化危機為轉機。

「覺之教育」並不是艱澀難懂，滯礙難行的深奧道理，而是可以落實在生活中做人處世的基本原則，向內敦品立學，向外與人和融共處。儒佛兩家有許多相通的理論。蕅益大師曾注釋《周易禪解》及《四書蕅益解》，將兩家義理融會貫通，發揮得淋漓盡致。

儒家所謂「大學之道，在明明德，在親民，在止於至善」，其實與「覺」的三重意義十分接近。如「明明德」

就是「自覺」，「親民」之旨在於「覺他」，「止於至善」就是「覺行圓滿」的境界。又儒家有「五倫」，君臣、父子、夫妻、兄弟、朋友，又有四維八德，是培養良好人際關係的基礎。「己所不欲，毋施於人」，雖然是老生常談，卻也是金玉良言，在這個「一切以自我為中心」的社會，實在應該重新調整「人我關係」。

佛教同樣重視「人際關係」，如「四無量心」的「慈、悲、喜、捨」；「四攝法」強調「布施、愛語、同事、利行」，都是可以在生活中實踐的淺顯道理。早晚課畢，所念的迴向偈：「願以此功德，莊嚴佛淨土，上報四重恩，下濟三途苦，若有見聞者，悉發菩提心，盡此一報身，同生極樂國。」其中所謂「四重恩」：即「父母恩、國土恩、眾生恩、佛恩」，與儒家的「五倫」有異曲同工之妙，而「眾生恩」，更把人際關係推衍至沒有血緣的「社會大眾」。

儒家修身之道，由心靈而至世界，推己及人，誠意、正心、修身、齊家、治國、而至平天下，至於四維八德，也是自覺的功夫，我常對學生說：「覺之教育很簡單，為人子女不知孝，就是不覺；兄弟相處不知讓，就是不覺；為人做事不忠貞，就是不覺；與人交往而無信，就是不覺；乃至無禮、無義、無廉、無恥，皆是不覺。」

佛家重修心，但修心也必先修身。《法華經》云：「

以慈修身，漸入佛慧」。佛教的基本修身之道，是「五戒」、「十善」，所謂五戒是：不殺、不盜、不淫、不妄語、不飲酒。而十善業則為：不殺、不盜、不淫、不妄言、不綺語、不兩舌、不惡口、不貪、不嗔、不癡。至於進一步修菩薩道的「六波羅蜜」：布施、持戒、精進、忍辱、禪定、智慧，更需要深入「慈悲」與「智慧」，具備犧牲奉獻、捨己為人的精神，今天這個時代，恐怕能辦到的人已經不多了。

覺悟之道

「覺」，是超越一切分別相，平等清淨，覺性是智慧的本源，有智慧的人明辨是非，事理通達，能產生無窮無盡的創造力。要達到「覺」之目的，必須透過聞、思、修的步驟。多看、多聽、多學習，理性思考，以求融會貫通，培養智慧，開拓潛能。

生命的實踐，可依下列簡易流程圖表來履行：

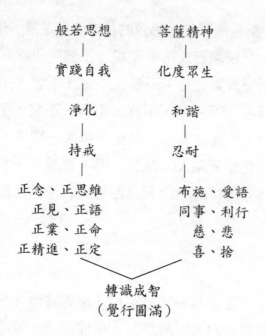

般若思想　　菩薩精神
　　｜　　　　　　｜
實踐自我　　化度眾生
　　｜　　　　　　｜
　淨化　　　　　和諧
　　｜　　　　　　｜
　持戒　　　　　忍耐
　　｜　　　　　　｜
正念、正思維　　布施、愛語
正見、正語　　　同事、利行
正業、正命　　　　慈、悲
正精進、正定　　　喜、捨

轉識成智
（覺行圓滿）

　　覺之教育就是生命教育，上圖所示，左欄是自覺的方法和目的，右欄則是覺他的方法和目的，自覺與覺他都是對生命的尊重。自覺是向內開拓智慧，也就是般若（妙智慧）思想，覺他是展現慈悲，是菩薩精神。開拓智慧以覺悟真理，是生命的自我實踐；發展人際關係，才能利益一切眾生。

　　自覺需要淨化心靈，持戒以止惡防非。拓展人際關係靠的是和諧與忍耐，自覺的方法是依八正道，即正見、正思維、正語、正業、正命、正精進、正念、正定。「覺他」則依四攝法（布施、愛語、同事、利行）和四無量心（慈

、悲、喜、捨）。將此修持應用於日常生活中，就是生活在正道上，長久薰習，必能轉識成智，而證得圓滿無上的菩提。

二〇〇〇年七月十三日講於華梵大學

「大崙山中小學教師人文教育研習營」

以人文關懷面對科技發展的挑戰

前言

　　科技在過去一百年中神速發展，直接改變了傳統生活和工作的方式，今天我們面臨一個嶄新的世紀，每日瞬息萬變，「變」帶來了新的衝擊和契機，「變」也推動著文明的步履，快速不停的向前行。科學技術日新月異，過去要耗費長時期努力才能成功的新發明，如今僅需短短數年即可完成，知識的領域愈來愈寬廣。沒有任何專家，可以永遠稱得上該項學術的權威，除非他不斷的努力。科技不斷創新，新知識不斷累積，也不斷考驗著人類的智慧，這種變化速度對人心的干擾和對社會的影響，可以說是空前的。

　　由於網路資訊無遠弗屆，社會受到多元價值觀的衝擊，百家爭鳴，百花齊放，卻因此失落了中心思想，導致人心迷茫。由於西方經濟發達、物資豐盛、自由民主、觀念開放，在在令人嚮往，於是西化的腳步愈來愈快，只要與西方權威相牴觸的觀念，即被視為封閉保守，甚至棄如敝

屜。此外，哈日哈韓之風盛行，東洋歌星偶像、卡通漫畫一併蜂擁而至，對傳統文化產生了排擠效應。在社會猛烈的變動中，來自四面八方的政治、經濟、宗教、教育、文化的理念，也隨著資訊傳媒的普及漫延。對自己的傳統文化，始終缺乏深度的體認與傳承，在狂風巨浪中，根基搖擺，因此迷失了方向。

科技與人生

變化的快速，是由於有科技作推手，科學旨在追求真理，研究自然界的林林總總，找出合理的解釋和可遵循的法則。由於科學家的努力，使人類對於自然界的現象，有了進一步的認識。工業技術的發明，則將科學知識應用到人類日常生活，提昇了生活的品質，帶來了生活的便捷。科學技術原是客觀中立的、沒有是非善惡，然使用者是人，為善為惡，存乎人之一心。

科技對於人類的貢獻，無庸置疑，沒有科技，即使晚上不是生活在一片漆黑中，也僅有油燈燭光相伴。如果沒有汽車、飛機，人類還須靠雙腳行走，或是牛車代步。沒有科技的發明，遠隔重洋即無法依靠電話、傳真機、e-mail互通消息；無法享受照相攝影的樂趣，或欣賞視聽娛樂節目。科技文明豐富了人類的生活內涵，可是，只發展科技，而缺乏人文思想教育、道德倫理的培養，人類將身陷一

種極度的恐懼不安和危險中。世間有不少狂人，為了一己貪婪，爭奪權位名利，巧取豪奪，這種人若居權位，發動戰爭，則人間浩劫難免。例如兩次世界大戰及恐怖事件，皆曾利用先進技術和武器作出毀滅性的攻擊，科技因而淪為戰爭及恐怖者的幫兇。

生存空間的惡化

另一方面，科技的發展也經常有意無意的，造成大自然環境及人類的災害。例如工廠廢水污染的河川；含有農藥殘留的農產品；破壞森林的酸雨；被焚燒的五金輪胎，以及塑膠工業所留下不可分解的垃圾，造成環境永遠的污染；溫室效應使人類生存空間急速惡化；臭氧層的破洞增加了紫外線對皮膚的傷害；還有電力嚴重不足的問題，使科學家無可奈何的把腦筋動到核能發電，然而核廢料問題如何處理，在在令人憂心忡忡。

可是另一方面，我們不可能回到從前，如同潘朵拉盒子裡的精靈，一旦被釋放出來，便不可能再回去。科技的巨輪不斷向前推動，愈來愈快，任誰也無法令它停止下來，人類只有精疲力竭的隨著巨輪向前滾動。科技發展神速，倫理規範無法同步，是相當危險的事情。此刻我們應該冷靜下來，重新思考人類的將來，掌穩手中的方向盤，使人文與科技並駕齊驅，發揚人性中的美德，或能永遠維繫

世界人類的共同福祉。

談到重視人文，我們仍有待加強。芬蘭是一個福利國，人口只有五百萬，卻真正做到重視國民福祉。在一次國科會舉辦的研討會上，芬蘭國家學院尼諾娜（Nenola）教授的專題演講中，提到芬蘭研究經費的分佈，是自然工程占百分之三十三，人文社會研究占百分之二十五，而環境生態保護則占百分之二十三，我們可以看到人文、科技，以及環保三個領域的經費分配相差不大，充分表現出芬蘭對人文研究的重視程度。該國成立的「卓越中心」（Center of Excellence）有科技的，也有人文的，公元二○○○年成立的二十所卓越中心，有六所是屬於人文研究，與台灣耗費巨資完全偏向科研，不可同日而語，毋怪教育文化品質粗糙，社會價值觀如江河日下。

科技影響人類生活形態

科技帶給人們便捷與效率，電腦進入家庭，各行各業都可以利用網路，將資訊隨時隨地傳到每一個人的手中，現在已有不少個人經營的辦公室SOHO（Single Office，Home Office），也許有一天，生活與公務全面透過網路執行，即可隨時處理所有的重要工作，而大幅提高生活品質與工作績效。

二十一世紀科技重點的發展，一是生物科技，另一是

資訊管理。當我們談到生物科技的發展，會聽到兩極化不同的聲音。一種是持積極樂觀的態度，另一種則是較負面悲觀的看法。近年來，生物科技發展神速，由於基因工程的進步，改變了物類的品質和品種。利用基因對抗過去不能治療的疾病，或是人體組織的移植，帶來了醫學改革的新希望。此外，例如以基因改良的馬鈴薯含有大量蛋白質，甚至未來人類的主食，可以愈吃愈健康，而不會增加身體的負擔。因此，除了能徹底解決糧食不足的問題外，經過基因改造後的農作物新品種，還對病蟲害增強了抵抗力，含有更豐富的營養。

生物科技發展的疑點

對於生物科技的神速發展，有時亦難免令人擔心。例如基因的移植，是否會製造出一些奇形怪狀的生物品種？是否會繁衍出一些怪病？利用動物內臟移植到人體，是否會產生後遺症？例如美國人體組織庫（Cryolife）提供的人體組織，即曾於多次移植手術後，使病人感染到梭菌而致心血管崩潰。

一九九七年綿羊「桃莉」複製成功，帶來科學史上的大突破。不到一年，豬、牛、老鼠的複製亦宣告成功。從技術面而言，人的複製並不會太困難，如今雖然各國都仍禁止人的被複製，但是，終難阻擋科學界一些狂熱份子的

蠢動。一旦複製人成功，必然衍生出許多社會問題、道德問題，和宗教問題。例如一母所製造出來的複製人，與母體的關係，與其兩性生殖的兄弟間關係？複製人的年齡？複製人的社會地位是否會受到歧視和排斥？可是，對於某些科學家而言，這可能是千載難逢的好時機，讓自己名垂千古。至於由此衍生的社會問題、倫理問題、家庭問題，不知由誰來收拾殘局？

資訊時代的隱憂

資訊時代的來臨，是高科技發展的另一高峰。人類正處在一個史無前例的大時代，網路徹底改變人類的生活方式。各行各業經由網路系統重新佈置企業的格局，搭起了全球各國往返的橋梁。網路是一個新世界，生活在這個世界的人被稱作網民（netizen）。不可抗拒的事實告訴我們，這個網愈結愈實，愈張愈大，網民的數量正以幾何級數增長。走進電腦網路，可以遨遊世界，與陌生人做生意，開會討論。從今以後，每個人都可以變成網路傳播媒體工作者，也有人藉它一夕成名，總統候選人也開設網站，將自己的理念，隨時隨地普告天下，並與民眾在網上溝通意見，取得更多人的共識。在這個時代，只要懂得善用網路，就不可能懷才不遇。網路有如此大的魔力，如果不好好管理，許多罪惡將相伴產生，如病毒侵入破壞企業機關系統、

網路援交、網路一夜情、盜取信用卡、複製金融卡，以及利用網路走私、販毒、色情、暴力的負面效應，已是愈來愈嚴重了。時下對電腦著迷的年輕人很多，如不善加輔導，很可能會誤入歧途、作奸犯科，後果不堪設想。

台灣有數百萬中小學生上網，而設在台灣本土的色情網站卻達數千家。還有侵犯隱私，匿名黑函人身攻擊及其他種種罪行，正利用網路擴散。有位研究生指出，大專院校的資訊課，許多作業都在製造病毒，使大專院校成了「毒窟」，這真是駭人聽聞的事情。各大學應當自清門戶，並責成教師們，除了專業技術的教導，也要加強學生們使用網路倫理的輔導。

電腦網路是人類新開闢的天地，將全球的政府、金融、軍事及教育作了緊密的連結，互通消息。由於網路四通八達，人們對網路的依賴日益加深，如此一旦發生網災，災情必然格外慘重。因此在網路虛擬的世界裡，必須具備如現實社會一樣的道德倫理和法律典章，才能保障個人的權益，促進文明進步。目前，我們只能呼籲網民嚴加律己，同時也應講求「網路倫理」、提倡「網路環保」，杜絕網路上的暴力色情污染，及散佈病毒危機。在我們呼籲網友自律的同時，也希望全球各國，成立「網路聯合國」，共同研商適合網路的法則和規範，和國際電子警察局，以遏止及懲罰不肖之徒，利用網路犯罪。

人文教育刻不容緩

愛因斯坦說過：「宗教沒有科技是跛子，科技沒有宗教是瞎子。」如果用「人文」二字取代「宗教」，也許含意更為寬廣。科技的發展若是缺乏人文思想，就像一匹脫韁的野馬，恣意狂奔。人文是科技人航海的燈塔，有了它才不致迷失方向。

科學研究是以「物」為對象，人文研究則以「人」為本體。人文與科技不是兩條永不相交的平行線，而是有交會的集。人文研究若是利用科學方法輔助，更能提高品質和效率，若不藉助科技發明進入科技的天地，則難施展出全部的力量。

生活在二十一世紀，人與人之間的距離愈來愈接近了，交通十分便捷。幾小時的飛機，便可抵達地球的另一邊。藉著電腦網路，萬里之遙瞬間化作零距離。陌生人之間，亦可無障礙的溝通。人類是否察覺到，他與周遭親人間卻漸行疏遠。究其主要的原因，是因為人文精神普遍缺乏，不重視傳統的道德倫理，忽略了基本人際間禮儀，導致生命失去了目標和方向。

人類的演化與人文的發展

根據達爾文的理論，物競天擇是動物生存的方式。但

是人類有思想、有智慧，可以累積知識，發明有利生存的產品，使生活品質改善。人類有了物質享受，卻漸漸不能滿足無窮的慾望，於是不斷索取，陷入無盡止的貪婪。有人甚至求而不得，鋌而走險，搶劫掠奪，社會不安。另一方面，人類進化也產生對精神生活的需求，群居的利益使人類發展出共同價值和信仰，促進人際間和平共處，這是人文思想的開端。發揚人文思想，可使人類遠離弱肉強食，物競天擇的獸性。轉為追求人與人之間的相互依存，彼此扶助，這是善良人性的表現。古德先賢發展出來的道德倫理，更是為了維持社會秩序，使人奮發向上的原動力，東方的人文精神，尤其是建構在這種基礎上。

東方人文思想的智慧

是非善惡、道德倫理、做人處世的原則，對於賢哲之士而言，比性命更為重要，文天祥說：「孔曰成仁，孟曰取義，唯其義盡，所以仁至，讀聖賢書，所為何事，而今而後，庶幾無愧。」中華民族自古以來重視人文，把宇宙萬物視作一個整體，對天地自然十分崇敬，以誠信忠恕之道為本，發展出長幼有序的倫理。故亦有不少西方學者也提出「到遙遠的東方找尋智慧」，但是遙遠的東方不是現在的中國或台灣。因為今天的中國人，大都是以經濟掛帥，向西方看齊。嗅不出遙遠古文明的氣息。所以，不論上

海、台北、新加坡、香港與世界其他大都市完全一樣，到處是McDonald 和其他的美式速食，到處是日本卡通漫畫，和卡拉OK。

東方的文明古國，有著悠久的歷史文化，和豐富的智慧寶藏，在一種優質文化的孕育下，人所展現出來的是溫文儒雅、寬大為懷的氣度。東方文化能陶冶人類心靈，維繫社會安定，如儒家思想、道家思想、印度文化、佛教精神，都是指引人心方向的燈塔。

東方人文思想，特別重視治心之學，這是祖先遺留下來的瑰寶，值此科技昌明世紀之交，提倡傳統道德倫理，是特別有意義的。中華文化踏著歷史的軌跡，走過七千年，所累積的豐富文化資產，經得起時間的考驗，其所闡揚的精神，正好是這個時代缺少的。

在儒家的人文思想中，首重一個誠字。誠是發自內心的，誠則不欺，不誠無物，至誠如神。「誠」能統攝孝、悌、忠、信、禮、義、廉、恥。透過言行舉止來表達誠意就是「禮」。一個安和樂利的社會，必須建立在「富而好禮」的基礎上，以家庭作為社會基礎單元，「親親、仁民、愛物」，發展出和諧的人際關係。

「覺性」文化作為新世紀的明燈

面對複雜多變的社會，人心難免困頓不安，甚至無所

適從，而誤入歧途。若是生命中有信仰、有主宰，則能隨遇而安，處理事情有所根據。

　　有宗教信仰的人，由於信願產生的力量，可以成就大事業，利益眾生，慈濟功德會、佛光山、以至於華梵大學的創設，都是明顯的例子。宗教家心中充滿慈悲和使命感，為了人類的福祉，不計代價的奉獻和付出，只祈求締造一個祥和的人間淨土。這是種悲天憫人的胸懷，「不為自己求安樂，但願眾生得離苦」，佛家稱為「菩薩精神」。《法華經》云：「善知眾生心，則入如來藏」，如何才能善知眾生心呢？要了解眾生疾苦，如觀世音菩薩化作眾生模樣，以平等身分來開導指引：「應以長者、居士、宰官、婆羅門、婦女身得度者，即現婦女身而為說法；應以童男童女身得度者，即現童男、童女身而為說法……。」唯有真正站在對方的立場設想，才能「善知眾生心」，若是高高在上，自尊自貴，如何聽得到下層的聲音呢？當然更不可能了解他們的想法和困難。《華嚴經》有云：「菩薩入世，當向五明處求」，就是用世間的學問，語言，方式，去開導眾生，如此才能切實受用。

　　佛家文化的中心思想是個「覺」字，自覺、覺他、覺行圓滿。「覺」可以啟發智慧，培養慈悲心。根據佛教思想，人人皆有覺性，只因凡夫追逐塵境，執著人我，計較名利得失，產生爭執事端。由外境的紛擾引發內心的不安

，又因內心的煩惱影響現實造作。若依佛陀的教化，人生應以認識自性為目的，透過返觀內照，開拓智慧人生。因返觀是向內的，猶如在心室點上一盞明燈，照見內心貪、嗔、癡，破除煩惱、雜念，則如「千室幽冥，一燈即明」，破除黑暗，而光明重現，澈悟生命真諦。

結語

值此世紀之交，科技發展一日千里、資訊時代來臨，但人文學發展如牛車慢步。如果缺乏人文精神，過熱的科技發展可能帶來災難。科技與人文必須並駕齊驅，平衡發展，才是國家之福。

于宗先院士說：「科技可以移植，而人文社會則必須仰賴長期的培植，方能萌芽生根。」人文精神之發揚，應視為當務之急，在發展科技的同時，才不致迷失了方向。根本之道，應回歸教育，從心出發，文化的基礎必須建構在民族傳統上，才能生根茁壯。找回固有傳統文化精神，付之以新生命，活用於當前社會，以東方人文思想為主軸，強調人的品質，建立屬於中國社會的人文價值體系。在事事講求速度與效率的今天，教育雖無法收立竿見影之效。然而，教育是希望工程，置身教育工作者，必須以開闊的胸襟、容忍的雅量，和睿智的遠見，方能對百年樹人的教育事業有所貢獻。

　　傳統文化是中華民族的命脈，有許多珍貴的瑰寶，值得研究並加以發揚光大。科技民主可以向西方學習，但是東方人文思想，如儒家的倫理道德及佛家的悲智精神，正是我民族的文化資產，應該加以重視，並將之與時代扣緊，落實於生活中，發揚到全世界，不要等西方人重視後，再回頭追逐，那時可能為時已晚矣。

　　　　　　　　二〇〇二年十一月二日講於成功大學
　　　　　　　　「二〇〇二年兩岸科技教育創新研討會」

談高等教育品質的提昇

　　教育是國家的根本，教育的品質關係著國家的未來發展，同時也關係著世道人心，重要性毋庸置疑。唯有透過教育，才能提高國民的素質，改造社會；唯有安定的社會，才能保障人民的福祉。不當的教育政策，影響深遠，禍及將來。

　　近五年來，教育部前後更換了五位部長，雖然每位部長都有強烈的企圖心，亦各有獨特的行事作風，然而在一片教改的吶喊聲中，政策經常搖擺不定，令人無所適從。尤其是一些重要政策，欠缺深度評估而草率就章，甚至先由媒體披露，而各大學院校毫無所悉已成定案，以一百三十億元的卓越計劃經費就是一個明顯的例子。不能不讓人對高等教育的方向產生懷疑、憂慮與不安。

大學氾濫　品質下降

　　目前，最令各大學院校困擾的問題，就是明明大學數量已經飽和，卻仍不斷有新大學核准成立，或是專科技職學校升格改制，目前高教體制的大學已多達一百四十九所

，老大學還在購置新校區，不斷擴大招生。大學生的品質大輻滑落，對於各大學之生存造成嚴重的威脅。這幾年來台灣的大學氾濫，品質似江河日下，情形日形嚴重。學者專家早有預言，在招收不到學生的情況下，必有私立大學關門大吉。

就如今客觀環境而言，國內人口出生率逐年下降，進入WTO後，將面臨外國教育機構入侵，同時，大陸學籍的採證與承認將不可避免，一味開放新大學的設立，使人難免感到教育政策之粗製濫造，對於國家教育中長程發展，規劃既不嚴謹也不負責。

教育應當是「有教無類」，人人都該當享有受教權，但是我們必須衡量，基本高中教育後，專業技職訓練與大學教育的比例，以及產業需要與發展，怎樣才最符合現實情況。有一些教授經常抱怨道，如今學生程度每下愈況，聯考五科成績不到兩百分，即可上大學，素質極差；甚至微積分考個位數的學生，也在讀理工科，不但影響進度，而教師在教學上也倍感壓力，彷彿要有點石成金的魔法，才能奇蹟似的教到他及格？

教育是百年基業，不能讓大學在惡性競爭下倒閉，造成社會的動盪與衝擊。私人辦教育，是為國育才的無私奉獻，值得尊敬。但是過去對於大學設立的數量都經過相當嚴格的管控。近年來，政府鼓勵民間辦學，土地的取得亦

有了法源依據，各界對於辦學的興趣高漲。如今更在財團、民選縣市長及民意代表的影響下，大學數量驟增，幾至無法掌控。由於僧多粥少，招生已成為各校首要之努力目標。有些學校甚至為了爭取學生，巨額獎金、手機、電腦紛紛出籠，成為學生報考大學之誘餌，無疑為功利思想濃厚的台灣社會，又平添怪事一椿。

功利誘導　錯誤指標

　　教育與發展經濟是不同的，不能採取放任的態度，優勝劣敗；辦學更不是投資一家工廠，採取適者生存、自然淘汰的策略。雖然歐美國家可得在其歷史文化背景下，實行自由競爭的做法，但是我們有自己的文化，西方的教育架構與模式的直接移植，造成衝擊，實在有欠妥當。

　　諷刺的是，如今在教育權的保護傘下，大學要解聘一位不適任教授，必須經過教評會三級三審，還可以提出兩次申訴，一次是校內，一次是中央（教育部）教師申訴評議委員會，以維護其權利。將來若有一所學校倒閉，則可能演變成數百教職員工頓時失業的窘境。由於每所大學都有自己的規模及預算，不可能將另一倒閉學校的員工納編。至於大量學生的安頓，更將形成嚴重的問題。未雨綢繆，我們呼籲政府正視此一問題，若因此引發社會的動盪與不安，後果不堪設想。

　　教育首先應當重視品質，當我們提到品質時，必然聯想到菁英教育。然而我們可以將「品質」的內涵，大致分作兩部分，一是人的品質，注重五育均衡的教育，成就其整體人格之均衡健康發展；另一種則是專業技術的品質，如今科技知識日新月異，教育是時代的先驅及領航者，必須高瞻遠矚，認清國家、社會、人類的需要，排除萬難以求突破，才能掌握未來。如果我們教育界對於新的潮流趨勢，只有順應而無引導之力，就是盲從與迷失的先兆與危機。

　　目前國內的教育多偏重專業技術的傳授，對於生命教育與心靈教育的培養，基本上可以藉由通識教育，以活潑生動的教材及方式，對於學生能力的培養、美德的陶成、智慧的傳遞，與人際的溝通四方面，加以訓練。

一、能力的培養

　　能力有許多種，如創造力、規劃力、應變能力、處世能力、溝通能力。有能力的人才能成為穩健的領導者，委以重責大任，發揮專長，求變求新，開展大局。有能力的人不會推卸責任、躲避問題、畏懼艱難，而能有條不紊的把工作做得盡善盡美，這是國家所需要的人才，大學教育應關心領導人才的培養。

二、美德的陶成

　　中國人的教育目的是「傳道、授業、解惑」，年輕人受到環境的影響，定力不足可能誤入歧途。每個國家都有自己文化的根，悠久的歷史傳統是人文教育的基礎。生命的目的在於自我的實踐，時下青年似乎不甚了解生命的尊嚴、價值與意義。每當遇上挫折時，便失去了方向及準繩，經調查二十歲的年輕人有百分之二十以上有過自殺的念頭，這個比例相當高，值得我們警惕。因此當務之急，在於訓練年輕人建立崇高的理想與人生方向，培養其自動、自發、自律、自強的精神，以及實踐道德的勇氣和能力，對國家、社會、家庭具有使命感，發揮利他的精神，兼善天下。

三、智慧的傳遞

　　大學畢業生大都才二十出頭，缺乏人生歷練，和處世的智慧與深度。大學畢業後仍需要依靠自我學習、成長與超越。做老師的應及時交付他一把「智慧之鑰」，培養他獨立思考與判斷的能力，並能活用知識，以產生應世的能力，啟發他的上進心、求知慾，及追求理想的熱情，這也是大學教師重要的工作。在學術的殿堂上，教授們個個博學多才，擁有豐富的專業知識及輝煌的學歷，但是「學問」不等於「道德」，而「知識」也不等於「智慧」，教學需要熱忱，在教育的舞台上，應以「人」為主體而不是「書」

，所以古人有「經師易得，人師難求」之嘆。

國內不少教授以「研究」為第一要務，對學生缺少一份關心，「只要我上完課，聽不懂是你的事。」把知識當作了販賣商品，而且還是「強迫直銷」。在專業分工的時代，「學有專精」的教師，不一定擁有教學經驗，也可能口才不佳，無法讓學生全面了解，所以教師的講課內容，如何引發學生的興趣和理解力，兼顧不同學生的程度，是教師應當隨時調整改進的地方。

四、人際的溝通

現代人多以自我為中心，人際關係淡薄，忽略了人與人之間交往時彼此間的尊重，學校應加以輔導，提供學習溝通協調的機會。如今台灣已實施網路上「遠距教學」，有人預測「網路大學」為未來的趨勢，我無法苟同。原則上專業知識及技術性的課程，可以利用網路教學加以強化，但是，學校提供德、智、體、群、美五育均衡發展的空間及環境是網路不能取代的！今天網路發達，年輕人躲在電腦後面，沉迷於謠言八卦中，減少了與同儕相處，互相切磋的機會，甚至連做人的起碼禮節都拋諸腦後，這真是人文教育的退步。

談到教育品質的整體提昇，有四個重點提供教育界先進

參考：

一、教育的理念與目標

今天台灣的社會價值觀混淆，功利主義與投機風氣盛行，如何才能正本清源，發展國家的潛力端賴教育。因此教育必須有明確的方向與目標，在科技經濟掛帥的今天，人文教育得不到深度的關心。另一方面，我們也難免面臨為難的抉擇：如多元化與特色的建立，學術自由與重點發展，專業與通識的兼籌並顧，因此，每所學校都應掌握其理念與方向，來維繫整體的平衡。

二、教育的願景與規劃

教育部對學校教育上經費的自主，應可以方便其彈性發揮，使其切合學校的發展特色開拓新局。在國家教育原則與方向面，對各校之辦學績效，卻仍應加以督導，以保證高等教育的品質。隨時針對人類文明的趨勢及社會的發展，調整教育策略，以符合國家長遠發展的精神。教育部應有嚴謹的統計與評量，配合政策的落實，作出十年甚至二十年的長遠規劃。

三、教育政策白皮書

公私立大學每四年都規劃一次中程計劃，由教育部聘請

學者專家實地勘察訪視，監督各大學校務正常運作，並實行辦學成效評鑑，作為獎勵經費的依據。雖然未必做到絕對公平，但是至少基本上力求公允，所以受到大多數大學的肯定與支持。各大學院校亦透過評鑑制度，增進對自己的了解，作為改進的參考，加強制度上的完善及師資結構，爭取持續的進步超越從前，其成果是值得肯定的。然而在此同時，教育部本身對於高等教育的規劃，各大學卻未必能清楚掌握，所以私立大學院校協進會曾不止一次在各種會議上，要求教育部公佈教育白皮書，卻因教育部長頻頻調動，至今仍得不到具體的回應。

四、教育的經費

發展教育最關鍵的因素就是人力與經費，所以教育經費必須充足，這是對國家未來的投資，也是對子孫所許下幸福的承諾。什麼錢都可以省，唯獨教育經費要寬裕。教育預算應該占國家總預算中相當重的比重。（見報悉知立法院三讀通過教育經費恢復下限保障，不得低於前三年決算歲入淨值的百分之二十一點五，甚感欣慰）如今大學數量增加，高教預算亦應隨之增加而非依分配減少。對於公私立的學校，經過專業評鑑後，應當公平給予充足的教學研究獎補助經費，以推動他們發展的速度。此外，由於公私立大學的補助懸殊，造成強者恆強、弱者恆弱，這一情況，

在幾位部長的努力下，目前也漸漸在改善中，現在的教育補助經費公立大學占有百分之八十，而私立大學則為經常門的百分之二十。當然各私立大學也另外設法募集經費，強化師資陣容、充實儀器圖書、發展精緻堅實的架構，以爭取教學與研究的卓越。

當然，我們還要關心大學校園文化與品質的提昇：

一、校園的景觀境教

大學院校應重視創校的理念與發展特色，並針對該校之建校精神，藉由景觀境教，校園設計、宣導潛在人文教育的深義，可以加強品德的陶冶功能。例如華梵校園的「百丈寮」，塑立唐朝「百丈禪師」像，以彰顯百丈禪師「一日不作，一日不食」的勞動精神。另外校園內的文物館與劇院，都能形塑獨特的校園文化與風格。年輕學子悠遊其中，可以培養溫文敦厚的高雅氣質和品德。

二、校園民主的商榷

自從教改提出「校園民主」，大學法明定校務會議為大學最高決策單位，強調「教授治校、學生自治」，又加上大環境的態勢，校務會議也成了民主殿堂，爭論不休。使校務之執行權責不清、紛爭不斷，校園也變得不和諧。近兩年來，學界痛定思痛，校長們在不同場合提出「校長

責任制」，呼籲教授「治學」而非「治校」，在台灣當前的教育文化環境下，值得深思。

三、校園倫理應重視

中國人一向講究尊師重道，師生關係是五倫之一。故有「一日為師，終身為父」的格言，如今師道沈淪，關係冷漠。在經濟為導向的功利社會裡，有人喊出以「學生為顧客」的口號，強調教師「顧客至上」的服務觀念。我們呼籲教育界應視「學生為子弟」，陪伴他一起成長。

四、研究與教學

每所大學中都有研究能力強和教學能力強的教授。當然規模較大的學校，容易找到不同的典型，所以不必硬性定位所謂研究型，或教學型大學。定了型無異就局限了它的發展，甚至忽略了一些難得的人才。每所大學在不同領域都可能有極優秀的人才，唯其如此才能促進整體的平衡發展。

為了有效發揮教師的潛力、加強研究及教學的品質，我們可以彈性依照教師的性向分類。例如研究能力強的，盡可能減少他的教學負擔，而多帶一些研究生，充實他的研究設備，讓他專心於研究，但仍須保持數小時的課，讓他把研究心得傳授給學生。如今有的大學為了鼓勵研究，以一個研究生抵消兩節課，或是一個研究計劃相當多少積

點作為嘉獎。

　　另一方面，不研究或研究計劃少的教師，收不到研究生，也沒有經費補助，在競爭壓力之下，能力得不到肯定，也相當痛苦。我認為這一種教師，可以專心研究教學的技巧，校方似可酌量提高他上課的時數，尤其是重點必修課，更應不斷改進教學方法和教材講義。基礎課雖然人人會講，但是若要讓學生容易吸收，就要講求方法，如此教學的品質才會提昇。若能區分研究導向及教學導向的教師，打破教學鐘點齊頭式的平等，必能提高學校的競爭能力。

五、專業與通識

　　由於國內以普及教育為目標，今後的大學教材內容應當有所調整。依目前的現實狀況，學校各系所應放棄專業本位，減少必修學分，而學校亦應加強通識教育。在今天的環境，淵博的通識基礎比專業知識更有用，學生基本知識廣泛，對職業的選擇也更具彈性，同時還可以豐富他的人文素養。

　　置身二十一世紀，我們應該認清高等教育的使命與責任，確立前瞻性的方向和目標。對於未來的規劃，要參考現實社會，將學術資源合理分配。政策攸關我們未來的建設，應先透過專題計劃研究後，將結果公諸於社會，然後以研討會、座談會的方式，總匯各方意見，凝聚共識，再轉

至全國大學校長會議上作為議案，充分探討其執行時可能發
生的狀況，作為制定重大政策的參考。根據這些意見制定
教育白皮書，以掌握未來教育長遠經營與發展的方向。

轉自《台灣教育月刊》第118期

佛教與科學

佛教與中國文化

　　自古以來，人類對於大自然的神秘力量，從來就有一種敬畏的心理。中國原始時代的信仰，顯示出濃厚的多神教色彩。自從周朝開國以來，周公制禮敬天，所謂「天」是對於不可知、不可測的神秘超越能力的崇拜與尊敬。如屈原的〈九歌〉、〈離騷〉中，就有許多神話的傳奇色彩。中華民族從來是有信仰的民族，敬天祭祖，慎終追遠，都是數千年牢不可破的信仰。中國人對於信仰的包容性很強，因此各種不同的信仰都能相融共存。正因為如此，自古以來，中國從不曾發生過宗教戰爭，當佛教傳入中土，其義理與主流文化同質性甚高，很快就與中國文化相融合，繼而發揚光大，如大乘佛教的華嚴和天台，禪宗和淨土，都帶有中國文化的色彩，及後更發展出宋明理學，影響彌深。雖然中國佛教的派別叢多，然而相通互用，從來沒有彼此排斥的情形發生。

　　另一方面，中國民間信仰中神明眾多，可能是為了滿

足人類內心渴望的結果。例如民間暢銷小說《封神榜》裡的神明，如王母娘娘、玉皇大帝、哪吒三太子等，也正式坐上祭台供人膜拜。此外，中國人相信正直的人死後成神，如三國時代的關公、宋朝的岳飛、林默娘、黃大仙等，都是曾經存在過的歷史人物，也成了民間信仰的主角。

春秋戰國是中國歷史上最混亂的時代，然而也是我國學術思想蓬勃發展的鼎盛時期，孔、孟、老、莊、韓、墨、申、楊，諸子百家爭鳴，熱鬧得不得了，每一種學術思想，或多或少都會討論到人生的問題。

從縱向而言，生從何來？死往何去？諸子百家中也有對這個問題著墨頗多者，然而有些學說卻刻意將之淡化。儒家雖承襲周禮敬天，但孔子卻說：「未知生，焉知死。」「敬鬼神而遠之。」避而不談死後或鬼神等未可知的向度。

就橫向來說，宇宙天地之大，無奇不有；自然界的神奇奧秘，人生禍福吉凶，殊難逆料。許多大思想家都不可避免的討論到生死的那一邊，就是Beyond life and death，德國人所謂Jenseits，佛教稱為波羅蜜多（paramita），即「到彼岸」，從生死的此岸，越過煩惱的中流，而抵達涅槃的彼岸。這是亙古以來，人類思想界所關心的重大問題。

佛教的起源及其生命觀

佛教創立於西元前五百餘年，教主是當時迦毗羅衛國的

悉達多太子。因為感嘆生命無常、眾生疾苦，薙髮出家，端坐菩提樹下，勤修苦行，憨山大師有詩讚曰：「身似冰霜骨似柴，六年凍餓口難開。」終於一夜，夜睹明星而闊然開悟。覺悟後他從座而起，前往鹿野苑為五位比丘說法，聲名漸廣，僧團成立。自成道後，被稱為釋迦牟尼佛（Buddha）的佛教教主於人間說法四十九年，依次講解《華嚴經》、《阿含經》、《方等經》、《般若經》和《法華經》，這些經典經過四次結集，分為南、北分別傳入東亞各國，而得流通。佛是覺者，釋迦牟尼是法號，佛教相信人人有佛性，人人皆能成佛，只因無始以來的顛倒妄想，不能證得。又以無明煩惱是生死的根本，若能轉識成智，則與佛無異。

佛經三藏十二部，所講的都是覺悟之道。佛教重視「覺」的實踐，所以說，佛教的真理觀就在一個「覺」字。

梵語Bodhi，音菩提，意譯為「覺」，即證悟涅槃妙理的智慧。《慧遠觀經義疏卷本》載，覺有二義，即覺察及覺悟。

覺察之義，是相對於煩惱障而言，煩惱之侵害如賊，只有聖人能覺知而不受其害。

覺悟之義，是相對於所知障而言，無明之昏闇如睡眠，當妙智慧生起時，則能明朗了知。依照覺悟的程度可以分為三級，自覺、覺他、覺行圓滿。一般凡人不覺，二乘

人（羅漢）有智慧，但缺乏慈悲，所以只能自覺，菩薩既有智慧又有慈悲，不但自覺，且能覺他，而佛陀大智慧不單「自覺覺他」，而且「覺行圓滿」。這就相當於燭光、燈光，和日光，其光度各有不同。

在浩瀚的宇宙中，人類所知所能極為渺小，所謂「生也有涯，學也無涯。」一個人若自以為掌握真理，則必不可能認識真理。牛頓曾形容自己是在海灘撿貝殼的小孩，偶而撿到一些美麗的貝殼，但與海洋豐富的寶藏是無法相比，且微不足道的。釋迦牟尼佛留下極豐富的智慧經藏，其含蓋面極廣，這些知識全是實踐「覺悟」的方法。但是佛陀一再告誡弟子說：「如來不曾說一字。」就是希望學佛之人不要執著語言文字。他把所講的法，比喻為渡河舟，渡過河後就應該放下船筏，而不必背負著在陸地行走；也比喻作指月手，沿著手指應當觀月，若停留在手指，則謬誤大矣。

佛經中有這樣一段故事。有一天，佛陀走進林園中，摘了一手掌樹葉，問道：「比丘啊，是我掌中的樹葉多呢？還是森林中的樹葉多呢？」比丘說：「世尊！當然是森林的樹葉多啊。」佛陀說：「比丘啊！正是如此。我知道一切事物的真相，但並未全部向你們宣說。我只為你們說了很少的道理。為什麼呢？因為其他的諸法不是必要知道的，也不會引導至無欲寂靜、覺悟涅槃。」

　　佛陀是一位覺者，已洞悉一切宇宙真象，但是他只選擇宣講對人生有益的部分，因為人的生命是有限的，應該把握光陰修行，超越生死輪迴。這個道理，《箭喻經》講得很清楚：有一位比丘問佛：「世尊啊！宇宙是如何形成的呢？世界是有盡或無盡，有邊或無邊呢？」佛陀以一則寓言，答覆了他的問題。

　　有一個人中了一支毒箭，家人們急著要為他拔出延醫治療。他卻說：「且慢，我要先知道是誰射的箭？他是那一族姓的人？這支箭是什麼材料打造成的？箭的形狀怎樣？你們必要先答覆我這些問題，否則我不除此毒箭。」可以想見的，他還來不及聽完答案，生命就結束了。

　　因此，人必須把握生命有限的光陰，謙虛認真學習。對於任何未知的事，可以抱著懷疑的態度，但不必一開始就加以否定。有位年輕人帶著傲慢與偏見，打算與一位老和尚辯論。來到寺廟，老和尚親自為他倒茶，杯子滿了，茶水溢了出來。年輕人說：「小心啊，杯子已經滿了。」老和尚說：「對了，杯子太滿水就溢出來了。同樣，你的心已裝得太滿，我說什麼，你都聽不進去，一樣會洩出來啊！」

　　宗教不是科學，不能用實驗證明。物質和心靈屬於兩個不同的層面，例如人生意義和價值，都是不能量化或具像化的觀念，無法用實驗證明。佛教的真理同樣不可能用

科學方法證明。但是,有一些與科學互通的觀念和道理,是可以作為參考的。

佛教的宇宙觀

有關佛教的宇宙論,《長阿含經》中的《大樓炭經》、《起世經》和《起世因本經》中,都有極為詳細的記載。這三部經所描述的內容大致相同,分別有五至七萬字,讀來彷彿似神話,但仔細推敲,卻似有許多與近代科學相通的情節。我這裡無法一一加以比較,呂應鐘教授所著的《大世紀——佛經宇宙人紀事》是以白話文加以解說的,令讀者十分容易了解。

首先佛教認為時空是相對的,無始無終、無量無邊。佛經常常提到在「無量久遠劫以前,有佛出世⋯⋯」,「⋯⋯從是西方,過十萬億佛土,有世界名曰極樂⋯⋯」經中又常提及三千大千世界,並說三千大千世界有十萬萬個太陽。在封建時代,有「天無二日」之說,幸好皇帝對佛經的言論並沒有加以禁止。如今,以高倍率的天文望遠鏡觀測星象,就可以發現宇宙無數的太陽系和銀河系。

佛經中所使用的計數單位,遠遠超過現代數學所能想像,例如10^{16}為兆,稱為「大矜羯羅」;10^{24}為億兆,稱為「大嗢蹭伽」;10^{32}為萬萬億兆,稱為「大羯臘婆」⋯⋯,乃至10^{51}稱為「阿僧祇」。「阿僧祇」乘「阿僧祇」稱為

「阿僧祇轉」10^{51+51}，「阿僧祇轉」乘「阿僧祇轉」稱為「無量」$10^{51+51+51+51}$……乃至「不可說」，已是現代數學的無限大。遠古時代，為什麼需要用到如此巨大的數字呢，的確令人好奇？

關於宇宙的形成，根據天文學家的推論，宇宙過去比現在熱，密度也比較高，且向一個中心集中。因此推論，在極久遠以前，宇宙是處在最高壓與高密度的情形下，時空並不存在。後來宇宙發生了大爆炸（Big Bang），放射出無量無數的微中子，這些空虛無質量的微中子，由於因緣和合，結成為原子、分子，漸漸形成無數的物質世界，無數的星球，而地球僅是太陽系中的一顆行星而已。天文學家更發現，宇宙間星雲不斷遠離，彼此分開，所以有宇宙膨脹說，與宇宙大爆炸之說，互相呼應。

有關佛經中所說世界的形成，《華嚴經》云：「世界之初，先成虛空，次成無色界，再次成色界，又再次成欲界。」《華嚴經頌》云：「華嚴世界所有塵，一一塵中見世界。」

所謂「塵」，指的是否就是微粒子呢？

佛經的娑婆世界，指的是地球，地球是浩瀚宇宙中星球之一，如此，三千大千世界指的應是無量無邊的星球。《阿含經》中記載各世界的時間不同，人類壽命長短也不同，生態環境亦不同。例如中國古籍中有云：「天上方七日

，地上已千年。」天文學中也證明各行星運行速度不同，造成時間上的差別。例如太陽系的九大恆星，體積不同，自轉速度不同；與太陽的距離及繞太陽公轉的速度都不同，所以造成各星球的時間不同。

《長阿含經》描述宇宙森羅萬象，及各世界緣起緣滅，在不斷生滅的循環中，經歷「成住壞空」或是「生住異滅」的過程，地球亦復如是，已經歷無數次的「成住壞空」。關於宇宙的生滅，各星球（包括地球）的形成與毀滅，人類演化的過程，其他星球人類的生活，異次元的時空及其生態等，《阿含經》中講述非常詳盡，其間常會發現與科學界的推想頗為接近的資料，有興趣者不妨一讀。

佛法的基本教義

佛教研究的對象是以「人」為主，人則以「心」為主。梁啟超說：「佛法為治心之學。」佛陀是人權的創始者，他所倡導的平等觀，是絕對的平等，佛法認為人人有佛性，不分高下，甚至人人皆能成佛。所謂：「自性迷，佛即眾生，自性悟，眾生即佛」，以及「心佛眾生，等無差別。」在過去階級森嚴的時代，佛陀對於皇親貴族以至販夫走卒一視同仁，不啻是有史以來的創舉。

佛教將構成世界的四種要素稱為四大，即地、水、火、風。如果依科學的解釋，地是固體，堅固而有形；水是

液體，隨容器之形變化；火是熱能，能量之一種；風是指
氣體，如空氣中之氧與氮。一切物質不外以此三態存在，
三態之間亦可互換。佛經中有云：「人身由四大所成。」
身體四肢、五臟六腑為「地」，水份膿血為「水」，體內
經化學變化，產生能量維持生命為「火」，氧與二氧化碳
呼吸循環為「風」。

　　佛經上云：「四大皆空，五蘊非我。」說明人所執著
的「我」，是無常變化的「假有」。如果將「人」分解開
來，不過是原子和分子的結合，其中並沒有一個「我」。
所謂五蘊，指色、受、想、行、識。「色」是身法，亦即
物質；「受」、「想」、「行」、「識」是心法，屬於「
精神」層面。所謂「受」指接收資訊，「想」是意識活動
，「行」是思維造作，「識」是分別記憶。若以一部電腦
的功能來說明五蘊：則「色」為文件資料，「受」是鍵入（
input，output），「想」是將文字轉化為電腦機器碼，「
行」是運算處理，而「識」則是儲藏於記憶體，五蘊和合
，人就會有思想意識行為。

　　佛教講「空」的觀念，是一般人較不容易理解的。佛
陀講的「空」不是「絕對空」，經中不斷說明「真空妙有」
、「真空不空」。《心經》云：「色不異空，空不異色，
色即是空，空即是色。」又云：「是諸法空相，不生、不
滅、不垢、不淨、不增、不減……」。如果佛經中的「色」

是指物質，那麼「空」應該是指能量。《心經》中四句偈就可以解釋為：「物質不異能量，能量不異物質，物質即是能量，能量即是物質。」大家聽聽這句話是多麼熟悉，這是物理學上有名的「物質不滅定律」。根據愛因斯坦的公式 $E=mC^2$，E就是能量，m是質量，而C是光速。由此可見能量可以轉換成質量，質量可以轉換為能量。空中的妙有（能量），能滋生宇宙萬象。所以佛家謂「真空不空」，「空生萬有」，此言應是有科學印證的。

佛教追求生命的自我實踐……覺。只因人人皆有覺，可將煩惱、雜念、妄想化為明朗的智慧，亦即「轉識成智」，如此即與佛無異。

佛教相信輪迴，歷劫以來，凡人都經過多次受生，每一生都曾受到外境薰染，有所造作，養成習性，日積月累成為一股很大的力量，稱為「業力」，屯積於阿賴耶識裡，就像一個大磁場。每產生一個心念，就發射出一種能量，具有其特定的頻率。例如具有善法因緣的人與具有惡法因緣的人，所放射出來的輻射能，頻率是不一樣的，所以不相應。而諸佛菩薩的頻率與凡人的頻率也不同。為什麼性情相投的人喜歡做朋友，就是他們發射出來的頻率相同，產生共鳴所致，英諺云：「Birds of a feather，flock together.」如果我們心存善念，思想純正，與佛菩薩頻率共鳴，漸漸就會得到感應。

在佛教的修行中，有禪定、有持名、有觀想、有數息，都是對身口意的調攝。《四十二章經》裡有一位年輕比丘，廢寢忘食的修道，十分痛苦。佛問他說：「你出家前做什麼工作？」他說：「彈琴。」

佛問：「弦太鬆如何？」他說：「太鬆則不成調。」

「弦太緊又如何？」他說：「弦斷聲絕矣！」

「不急不緩如何？」「那才能奏出美妙的旋律。」

於是佛告訴他說：「學道也是一樣，心若調適，道可得矣！……」

佛教強調「自力」，若不能持之以恆，則無法了生脫死。所以說：「自己吃飯自己飽，自己生死自己了。」「覺」必須透過自我實踐，佛陀也無法送你一個「覺」。

蘇東坡居士詩云：「佛在靈山莫遠求，靈山只在汝心頭，人人有座靈山塔，好向靈山塔下修。」

佛教的十二因緣

佛教最重視的是因果律，與「種豆得豆，種瓜得瓜」一般，就是緣起緣滅。民間「善有善報，惡有惡報」因果報應之說，的確源自佛教。談到三世因果，佛經云：「欲知來世果，今生所作是，欲知前世因，今生受者是。」

「十二因緣」是佛教對於生命學的詮釋，就像結合三世因果的一條鏈，十二因緣者，是無明、行、識、名色、

六入、觸、受、愛、取、有、生、老死，彼此牽繫相連。
老死之後，又再接無明，無有斷滅。

　　所謂「無明緣行，行緣識，識緣名色，名色緣六入，
六入緣觸，觸緣受，受緣愛，愛緣取，取緣有，有緣生，
生緣老死。」

　　「無明」是生死的根本，煩惱苦集之總稱。「行」為
無明蠢動，入胎之時謂之「識」，胎兒在母體內一、二月
，未具人形而有「名色」，名是心法，色即形象，此五蘊
初具。胎兒四、五月間有眼、耳、鼻、舌、身、意生成，
稱為「六入」，此六根始成。胎兒出世，六根對六塵稱為「
觸」，但還未在意識中留下印象。「受」是幼兒二、三歲
時，取納聲色，仍未有愛欲之心。幼兒稍長，心識已知「
愛」，及至十三、四歲少年，對其貪欲，萌生占「取」之
念，取而後「有」，招感「生」業，遂有「老死」。如是
產生了生死輪迴。其中包括三世因果，「無明」與「行」
為過去世二因，「識」、「名色」、「六入」、「觸」、「
受」為現在世五果，「愛」、「取」、「有」為現在世三
因，而「生」與「老死」則為未來世之二果，又可見果為
苦，而因則是集苦者。

　　佛陀證悟之「緣起論」：「諸法因緣起，諸法因緣滅
。」因緣果報彷彿是一個化學反應，例如「因」是反應物
，「果」是生成物，「緣」是反應的條件，如溫度、壓力

等，如將生成物放進反應爐中，配之以反應條件，最後期待的生成物必會產生。

結論

宗教與科學，是屬於不同的研究領域，皆是人類文明知識寶庫的無價珍藏，能帶給人類幸福。科學是中立客觀的研究，本身並無善惡可言。科學發明之應用，對人類之利弊得失，端視乎使用者之存心。經過科學家不斷的研究和努力，才有今天科研的偉大成就。但是，過分盲從科學，會導致心靈的阻塞。科學並不是絕對的真理，在科學史上，常有幾乎認定為永恆不變的真理，卻被後人修正甚至推翻。宗教是數千年來人類心靈的倚靠和慰藉，且具有完整的道德倫理體系，利他行善、因果罪福都是宗教所宣示的真理。

宗教所呈現的是不經切割的宇宙時空，其研究範圍十分奧妙，不可能具象化加以證明。在今天這個弔詭的時代，人心浮躁，缺乏真知正見，相信靈異現象和「速食」式的救贖。人云亦云，不假思索的信仰，導致一些壞份子有機可乘，騙財騙色，使無辜百姓心靈受到傷害，真是令人唏噓而感到沉痛的事情。

科學家研究物質世界的宇宙萬象，宗教學尋找不可探測的心靈世界。宗教與科學都是追求真理，彼此相輔相成。

唯科學的研究是具體的對象，宗教所追求者則是心靈的層面。過去有許多偉大科學家，如牛頓、愛因斯坦都有虔誠的宗教信仰，因為愈是有智慧的人，對自然界的研究愈深入，便愈了解宇宙之浩瀚無垠及人力之有限。

科學精神講求精確，一點也不能含糊，所謂「差之毫釐，失之千里。」其實禪宗亦有「繫心一處，無事不辦。」對於「專注心」的要求，同樣是不能有絲毫之差。即使在生活上，待人處世一心一意，對學業事業投入專注，正是成功的祕訣。

宗教精神是無私奉獻、追求生命的自我實踐，如此可以啟發人類的潛能，獲得安頓與自在的心境。科學家若具有宗教情操，必能在追求發明創造的同時，考慮到人類的安全和尊嚴，以及環境生態的人文關懷。宗教家若具備科學的實踐精神，則以出世而不離世的態度深入俗世，以現代化的經營管理利益眾生，有系統的對現代人的心靈危機提供最適時的教化和關心。

一九九九年十一月三日
講於輔仁大學理學院講座

中國現代化進程中宗教發展的啟示與前瞻

二十一世紀的現代化

　　現代化是人類歷史文明演進過程中，具有特色的重要改革，因此現代化的發展是動態的。我們今天所談的現代化，與一百年前的內容有很大的差別，未來也會被另一股潮流取代。溯古至今，人類歷史發展進程中有三個階段的重要變革：一是由遊牧民族進入農業社會，二是工業革命，三是數位科技時代，托夫勒（A. Toffler）稱之為第三波。然而二十一世紀的現代化特徵並不限於資訊互聯網，大前研一在《看不見的新大陸》（The Invisible Continent）書中清晰的勾勒出新世代的特色：「它是跨越國界、數位科技、虛擬實境、和高倍數成長的經濟組合體。」這一片新大陸如今已逐漸被人發現，成為全球目光的焦點。

　　新世紀需要新觀念，討論中國現代化問題的同時，必須對國際大環境加以觀察，否則是無法掌握全貌的。知識經濟的發展世界同步，誰也不可能自外於人類歷史，或自

外於國際社會。近百年來的歷史教訓，讓我們學習到國際化與現代化是唯一可走的路。跌跌撞撞中，中國人經歷了太多的苦難，然而「逝者已矣，來者可追。」歷史雖不能改變，未來仍掌握在我們的手裡。

現代化是從西歐開始的，十九世紀的工業革命帶動了商業的契機，為了拓展更大的市場，西歐各國乘航海之便，前往全球各地經商。歐洲發展高科技，實施民主政治，社會穩定繁榮的經驗令人嚮往，科學、民主、進步就成了西化和現代化的代名詞。歐陸成功的經驗向外擴張，一直延伸至美、亞、澳、非各洲。事實上，現代化並不等於西化，也不限於科學與民主的範疇。許紀霖說得好：「現代化不僅是生產方式的轉變，或工藝技術的進步，它是一個民族從歷史變遷過程中，文明結構的重新塑造。包括經濟、政治、文化諸層面的全方位轉型。」如今隨著跨國企業，互聯網、資金、消費、世貿組織的經濟活動，影響了政治、教育、社會、文化等各個層面的變革，這一波來勢洶洶，由於未來局勢尚未定型，正好提供我們改革轉型、迎頭趕上全球現代化的新契機。

中國現代化進程中宗教所扮演的角色

基督教對中國現代化的推動有一定的貢獻，一六〇一年耶穌會士利馬竇、湯若望、南懷仁等來華傳教，介紹天文

、曆法等西方科技，習華語、易華服，尊重傳統禮俗，與朝野相處融洽。十九世紀初來華教士多是新教徒，仍以推介西學，設立洋學堂，創辦大學為主，開啟了中國高等教育的新頁。

清末年間，列強以強大的軍事武力攻開了中國的門戶。清廷在各場戰役中均遭慘敗，喪權辱國，割地賠款。知識份子開始覺醒，當時洋務運動即有「中學為體，西學為用」的主張，及後戊戌維新、辛亥革命，都是追求現代化的具體行動。

民國建立後，袁世凱復辟，軍閥割據，國家狀況毫無起色，再度激起知識份子的愛國熱忱，認為救國之道，必須徹底揚棄舊傳統及封建思想。一九一二年全國各地侵奪寺產，以為興學場所，曾導致寺廟的抗爭。

一九一九年的五四運動，喊出「科學民主救中國」的口號，主張「全盤西化」，為古老的中國帶來了一股新氣象。「新文化」運動雖然並不嚴謹，但對中國現代化影響甚深。另一方面，「顛覆傳統」的觀念，導致馬克斯唯物思想趁虛而入，馬列一向視宗教為鴉片，視僧眾為不事生產的社會寄生蟲，以無神論取代宗教，解決社會問題。因此自中共執政後，人們思想受到箝制，各宗教幾乎完全沒有發展的空間。

一九三七年當抗戰號角響起，這股熱情才轉移至抗日的

行列。戰後民生凋敝，元氣盡傷。中國共產黨異軍突起贏得政權，國民政府被迫遷台，從此演變為海峽兩岸對峙的局面。一九四九年後，毛澤東大舉馬克斯、列寧的旗幟，提倡無產階級革命，反四舊，斥宗教為迷信，大肆破壞佛寺教堂，將僧尼教士逐出寺院，強逼還俗從事生產。六十年代的文化大革命更是變本加厲，宗教活動全面停止，寺廟佛像連同相關的歷史文物古蹟，至此摧毀殆盡。

直到一九八〇年落實宗教政策後，僧尼冤獄平反，重新易服歸返寺院。根據《人民日報》一項統計，改革開放後新出家者，全國約有二十萬餘人。信佛者約一億餘人，雖然大都尚未皈依，卻有濃厚的興趣渴望了解，作為精神依靠。此外，如北大、清華、人民大學、師範大學，都設有社會科學研究所，對佛學亦多有研究。

台灣宗教發展的經驗

張祖樺在《轉型期的中國，社會變遷》書中道：「……在中國大陸無論是馬列主義、儒家思想、佛教、道教、基督教、伊斯蘭教，真正信仰的人都不多。那麼怎樣建立中華民族在現代化過程中的精神支點呢？」

中國地大物博，包容性強，漢文化與少數民族文化間，乃至各宗教間大都能和融相處。自東漢佛教傳入中國，雖經三武之難，但都屬於高壓統治，而非宗教間的衝突。

宋明年間，佛教與儒道結合為宋明理學，相互融通，對文化之貢獻不小。因此，保留各宗教的主流價值，促進宗教間交流對話，和平共存，應是可行的途徑。各宗教之此消彼長，完全憑民眾自由選擇與需求，只要是勸人為善，無私奉獻，有益民眾的，政府不必太多干預，只須以尊重的心態，平等對待，樂觀其成。

　　台灣的宗教經驗，雖然未及完美程度，但仍算是頗為成功的例子。台灣人民享有充分的宗教自由，故各宗教得以發揮慈悲利他的精神，建設醫院學校，贊助公共福利，幫助弱勢團體。

　　以佛教為例，過去大陸出家人生活在叢林寺院，以刻苦修行為份內事，不涉入世法之中。台灣佛教界則以實踐大乘菩薩精神為己任，以現代化的思維，闡揚「人間佛教」。僧眾不再留守寺院中，而是改弦易轍，以慈悲濟世精神，從事電視弘法，監獄教化，社會福利，教育文化，醫療服務，以及宗教間交流活動。其實，最早提倡「人間佛教」的是太虛大師，他主張「組織革命，財產革命，學理革命」，當時受到歐陽竟無等反對，在風氣未開，「僧徒居必蘭若，行必頭陀」的社會裡，太虛大師的改革難被認同。台灣「人間佛教」的倡導者是印順導師，他曾主張將重要佛典譯作白話文。星雲法師可稱實踐人間佛教的代表。他以「入世重於出世、生活重於生死、利他重於自利、普濟重於

獨修」的精神，除了辦學外、出版佛書、電視弘法、製作光碟、創立都市佛學院，甚至遠渡重洋，在美歐非澳各地設佛寺及講堂，淨化社會人心。同時他對佛教的建議是：「佛教現代語言化，傳播現代科技化，修行現代生活化、寺院現代學校化。」闡釋了佛教的時代使命。

花蓮的慈濟功德會，由證嚴法師所創設，是台灣宗教史另一個奇蹟。慈濟功德會成立的初衷，為原住民提供先進的醫療服務，慈濟護專也為原住民女性同胞提供了就業的機會。一九九四年創立慈濟醫學院，二○○一年改名慈濟大學，以醫事技術慈悲度世。慈濟功德會今有會員四百萬人，每當各地發生天災人禍，都可見慈濟人的蹤影，如安徽大水、九二一地震、甚至外國的天災都伸以援手，故以人道精神揚名國際。

慈濟醫學院的大體解剖，更充分顯現宗教對於捐屍者的尊重。他們在解剖室貼有亡者的照片及生平介紹，慈濟師生尊稱為「老師」，而慈濟人也稱為「捨身菩薩」。學生在學期結束後，要寫報告給這位「老師」。然後將屍體縫合穿著整齊，在家屬前由四位學生親手入柩。火化後骨灰存放「大捨堂」，念經超度，永茲紀念。中國人一向重視保存屍骨的完整，以往極少有自願捐贈屍體作大體解剖之用。慈濟的作法可說是開風氣之先，深得社會人士認同。故其他醫學院缺乏大體解剖時，多是請慈濟協助，轉送過去

的。

　　曉雲法師於一九九〇年創立華梵工學院，以科技為辦學起點，倡導：「人文與科技相融，慈悲與智慧相生」，也是宗教界突破傳統之舉。一九九七年華梵經教育部核准改制大學，是為中國歷史上第一所由佛教人士創辦的社會大學。曉雲法師提倡「覺之教育」，以反觀內明，慈悲利他為辦學理念。繼之南華大學、玄奘人文社會學院、慈濟大學，及佛光人文社會學院、法鼓山人文社會學院紛紛核准成立。

　　承天禪寺第二代住持為傳悔老和尚，雖不曾親自辦學，卻將善款慷慨捐助各佛教辦的大學院校，如華梵、慈濟、玄奘、佛光都曾接受過該寺大筆的建校捐贈。此外，台灣九二一地震，來自宗教界的救助最快最多，而宗教人士對於慈善事業的熱心捐獻，無怨無悔。與共產制度強行分配財富，同樣是抑富濟貧，節制私人資本，但宗教不經暴力革命而收社會公平之效，更能凸顯出宗教的重要性。

　　除了佛道本土信仰外，值得一提的是西方宗教，對早期窮困的台灣，曾提出深情道義的援助。外國傳教士來台傳教，進入偏遠山區，分發牛奶麵粉，吸引信眾。他們學習國語、台語，設置醫院，創辦學校，如羅東聖母醫院、門諾醫院、虎尾聖若瑟醫院、彰化基督教醫院等。並將過去在大陸創辦之輔仁大學、東吳大學復校，也創立了新大學，如基督教東海大學、中原大學；天主教靜宜大學等，

中小學之設立更是不勝枚舉。《中華民國憲法》保障人民宗
教自由，宗教得到社會的滋潤，故得以蓬勃發展。

對現代化文明的反思

　　人類已邁入二十一世紀，生命中仍然存在許多無法解決
的問題。談到現代化，離不開科技，科技為人類帶來了繁
榮和進步，卻不全然是正面的影響。歷史讓我們認識到科
學並非萬能，在兩次大戰中，科學提供了飛機、大砲、潛
水艇，對人類彼此相殘，扮演了助紂為虐的角色。此外，
在享受高度物質文明的同時，我們面臨科技發展所帶來的後
遺症。過度的開採能源，已侵犯了未來子孫的資產；核能
發電產生千年無法分解的核廢料；工廠和車輛排放的廢氣導
致溫室效應，對人體健康造成極大的威脅；山坡地的濫墾
濫伐，破壞了生態平衡；臭氧層的破洞形成紫外線灼傷皮
膚導致病變；含農藥殘留物的菜蔬，含重金屬的飲用水，
含輻射的鋼筋屋，甚至高壓電線、電視、電腦、手機的輻
射，無一不嚴重威脅人類的健康。

　　同樣的，民主之發展，也非百利而無一害。一人一票
的普選，是否當真公平？候選人為了選票，不惜空頭支票
滿天飛，欺騙群眾以博取支持；惡言中傷對手，甚至暴力
相向，各國都發生過。盧梭說過一句極有意義的話：「民
眾在選前是主人，選後是奴隸。」民主的發展與文化大有

關係，人民的素質影響到民主的品質，民主政治是以人民為基礎，基層若不穩，則造成上層搖動。以台灣的民主為例，所呈現的後果是族群的分裂、官民的衝突、公權力不彰、國會的暴力、另類特權的橫行。人心若以私利作為出發點，罔顧國家利益，則必然會阻礙整體的進步。缺乏法治素養和道德基礎的民主，是十分不穩固的。

在現代化的同時，揚棄傳統的言論，卻令人無法苟同。大陸的政治運動，被公開批鬥的對象，以臭老九居多，兒女鬥父母，學生鬥老師時有所聞，以至孝道師道蕩然無存。台灣方面，實施民主以來，個人主義囂張，道德倫理漸行漸遠，價值觀混淆，年輕人失去了方向。

中華文化博大精深，應可發揚光大以濟世。儒家的道德倫理，與佛教的慈悲智慧相互呼應，置之四海可為準。曉雲法師云：「儒佛如雙燈拱照」。千年來中國人受盡戰爭之苦，而統治者亦未能發奮圖強，將傳統文化有系統的推廣宏揚，是一件遺憾的事。《禮運大同篇》有：「老有所終，壯有所用，幼有所長。鰥寡孤獨廢疾者，皆有所養。男有分，女有歸。貨，惡其棄於地也，不必藏於己，力，惡其不出於身也，不必為己。」《孟子》曰：「民為貴、社稷次之、君為輕。」《書經》有「民惟邦本，本固邦寧」及「天視自我民視，天聽自我民聽」，此即民本思想，何勞捨近求遠。

　　更值得一提的是西方的科技與民主，其實是建構在基督精神的穩固基礎上，相互交織著道德倫理，才能使文明鞏固。至於後來發展出來的資本主義和帝國主義，已經喪失了傳統精神。中國知識份子若只是學習後半段的改革，而忽略了西方精神文明的成就，那就錯了。若能從中吸取經驗，在我國既有的傳統文化基礎上，秉持東方人文精神的特色，橫向加速發展科技文明，縱向深入傳統吸取養分，才能為未來的中國，打造一幅科學人文交織完美的藍圖。

宗教在現代社會的角色定位

　　宗教為人類的精神需求而存在，自工業革命後，知識份子開始迷信科學萬能，認為宗教只不過是鬼神之說，必然會在二十一世紀消失。事實上，如今我們看到各宗教仍在蓬勃發展，且對受到天災的難民、社會迷失的族群、貧窮困苦的弱者，都能適時給予關懷和照顧。當今之世，固有傳統價值失落，社會過度強調自由、多元。人心苦悶，彷徨無依，宗教對於人類精神生活及心靈滋潤，有著不可思議的作用。

　　要落實宗教現代化，應透過宗教教育、宗教交流，和宗教法。大陸的法輪功和數年前台灣的「宗教亂象」，正好暴露出宗教缺乏教育與管理的問題。制定宗教法能杜漸防微，加速正信宗教服務社會、淨化社會的功能。

一、宗教教育

我們的宗教一向被排拒在校園之外，國人缺乏宗教教育，捨本逐末，無法辨認正信與邪說，政府又未明文規定，予以管制，致給予不肖之徒可乘之機。所謂「宗教」，必然有一定的「宗旨」，能「教化」於民，如基督教講信望愛，佛教講啟迪智慧、淨化人心。因此，正信的宗教，必然是慈悲大愛、無私無我，勸人為善，因此必然經得起時間的考驗。

正信的宗教具備四個條件：1.教主：如釋迦牟尼佛，耶穌基督，他們捨棄榮華富貴，拯救人類疾苦，絕非為己圖利。2.教義：佛教相信「人人有覺性，只因妄想執著，不能證得。」故以實踐自覺生命為訴求。基督教相信「信上帝得永生」。3.經典：如佛教的《大藏經》，回教《可蘭經》，基督教《聖經》，以淨化人心為積極救世主張。4.教團：是傳教士和僧侶們共同薰修的團體，他們奉行戒律，遵循嚴謹克己的生活模式。此外，戒律與懺悔是各宗教所重視的修行，也是導正人心，改過自新的不二法門。

二、宗教對話

世界潮流正朝向宗教間和平對話，天主教第二次梵諦岡大會後，教宗保祿二世積極提倡宗教間和解，一九九三年「

世界宗教議會」六千五百位不同宗教背景的人士共同簽署了
由德國神學家孔漢思草擬的「全球倫理宣言」。今年五月
八十高齡的教宗親往希臘，為十字軍東征時天主教對東正教
所犯的罪行道歉，隨後他轉往敘利亞拜訪了大馬士革的回教
清真寺，這種宗教間的和解是十分值得推崇的。在台灣也
有「宗教和平協進會」，促進宗教互訪交流，並舉辦聯誼
活動。在價值多元的二十一世紀，不同的種族、不同的文
化、不同的信仰，不可能強行加以整合，唯有通過對話，
互相了解，尊重包容，和平共存。

三、「新興宗教」

「宗教亂象」其實就是「社會亂象」，台灣有人稱之
為「新興宗教」，是極之不妥的。它們既不符合「宗教」
定義，亦不具備「宗教」的特質。怪力亂神會導致社會失
序，如日本的真理教、美國人民廟堂，都曾造成嚴重的暴
力事件。新興信仰的共同特色是缺少學理依據，只能偷取
其他宗教的神祇和教義，當作自己的理論基礎。何以民眾
寧捨正信宗教，而相信異端邪說呢？究其原因與現代社會
結構下的速食文化有關，異端邪說的教主是現代人，他們
承諾信徒即時開悟、即時致富，當然受到歡迎。這些人不
用經籍教理，只須大搞個人崇拜，聲稱能神通法術，消災
解厄。不像正信修道人，默默行善，有師承、有法脈、有

本修的法門。其實宗教並不否定神通，如佛教相信的天眼通、他心通，都是修行的副產品。神通不能了生脫死、也非究竟之道。真正的得道高僧，或許都有些神通，但不會在一大群世俗人面前顯露。製造分身放光者，無疑自暴其短，假宗教之名惑眾歛財而已。

四、宗教法

　　台灣內政部一直在研擬設立宗教法，以防止人為的弊端。宗教法絕不是要約束宗教，而是幫助宗教健康正常的發展。政府站在輔導的立場，多為宗教設想，多與宗教界溝通，尊重各宗教的意見。宗教界對於設立宗教法也毋須太擔心，法律是社會制度的保障，宗教不能脫離世間，故應樂觀其成。

宗教與人類文明共榮

　　時空變換了，人們的價值觀也隨著改變，對事物的觀點，有了新的評估。人們逐漸了解到畢竟不是一切真相都可以拿出直接的證據。科學與民主也不是萬靈丹，可以解決一切問題。

　　科技的發展，物質文明，未必帶來心靈的安逸和滿足。核心價值觀的失落，導致人心無所適從。憂鬱症與癌症、愛滋病同列二十一世紀三大文明病，此時最能發揮善導功

能的就是宗教，宗教能針對心靈困苦，提出治本之方，帶
來慰藉與希望。

　　自古以來，各民族都有自己的宗教信仰，宗教是人類
文明的產物，也是社會傳承人類精神的文明生活史。人之
所以為人，除了物質生活的層面外，更需要精神生活，不
論上智下愚，都有一股對不朽生命追求的原動力。宗教針
對不同的群眾，分別有三種面向：即信仰的宗教，研究的
宗教，和實踐的宗教。下層社會窮苦的弱勢族群，需要信
仰宗教作為心靈的依歸，藉著膜拜神祇祈求平安和心靈慰藉
。至於學術工作者則是藉著對宗教的研究，了解人類生活與
精神思想發展的連動關係。由於宗教反映人類生活，各朝
代都曾創造出豐富的宗教藝術，如建築、雕刻、文學、繪
畫、音樂等。由此發展出來的宗教哲學、宗教文學、宗教
藝術，美化了人類的生命。最高的層面是宗教的實踐，宗
教生活最重要的是靈修，藉著祈禱、研經、靜坐，能激發
人類潛在的智慧和潛能，超脫世俗思維，而使人格昇化聖
善。例如史懷哲赴非洲行醫，德蕾莎幫助最貧苦的人，這
都是宗教情操的具體表現。雖然如同其他文明，宗教不可
避免的也會經歷生、住、異、滅，但非以高壓手段可以制
止或消滅的。大陸自改革開放以來，實施鄧小平四個現代
化（國防、科技、農業、工業）的策略，唯物思想褪色，
中產社會勃興，各宗教的發展如雨後春筍，正反映著人類

對宗教信仰的渴望。

其實，宗教與科學並不相互衝突，愛因斯坦曾說過：「科學沒有宗教是瞎子，宗教沒有科學是跛子。」他又說：「人生最美好而深刻的經驗，莫過於對神秘事物保有好奇的感覺。它是宗教信仰的基礎，也是追求藝術與科學的動力。」牛頓也是一位虔誠的教徒，楊振寧在一場公開演講會上，不諱言的承認：「物理學研究的盡頭就是哲學，哲學研究的盡頭是宗教。」

嚴靈峰說：「宗教是美化人生，充實人類感情，調和精神世界與物理世界的矛盾，促進人生世界進入真、善、美的必要精神糧食。」

謝幼偉說：「宗教有其存在的作用和理由，人類不能沒有一種信仰以維繫其生活。而宗教式的信仰，則是信仰中最有力的。絕無信仰的生活，實為一種最危險的生活。社會次序的維持，很需要宗教的協助。無宗教信仰的社會，今日固未有，即將來也未必可能。」

「宗教信仰」確能帶給人神奇而不可思議的「力量」，能幫助人類突破困難、危險和難關。有了信仰的力量，宗教家得以大無畏的精神，弘法利生，造福人群。政府應積極鼓勵及協助正信宗教，發揚宗教精神，從事公益慈善事業：如辦學、蓋醫院、建造老人院、育幼院等，進一步展開社會工作及心理輔導，可以促進族群間更祥和、人心

更安定、社會更進步。

　　　　　　二○○一年八月七日講於中國現代化學術研究基金會

　　　　　　　　　　「第九屆中國現代化學術研討會」

通識教育中的宗教與道德教育

前言

　　大學教育最重要的功能，究竟應以培育專業或是通才為主，至今未見達成共識，而各國大學也沒有統一的做法。例如德國或法國，都是國立學校，沒有私人創辦的大學，課程以專業為導向。而美國大學似乎較重視通識教育，其起源於三十年代，發展至今，已有七十餘年的歷史了。

　　若以德國為例，中學畢業生，可根據自己的意願和成績，申請分發至其選擇的學校及科系就讀。大學期間，學生可以選讀或旁聽其他學系的課程，並沒有硬性必修的通識課。理工學科的學生必須在入學前，接受工廠實習，以豐富學生的專業實務經驗。當然也可以修雙學位，例如讀理工的學生，修完正科的學位（Diplom）後，再利用兩年時間，進修一個經濟學位，是常見的事情。由於德國的教育體制，與國內教育制度不同，在德國學生進入大學前，普遍在中學已經具備相當深厚的通識基礎，例如德文系的學生，皆具備拉丁文的基礎，而理工學系的學生，深入古埃及

或是古印度文明的程度，令人驚嘆。他們對於各種的基本哲學學派也不陌生。我國中小學教育卻在升學壓力下，不大重視課外讀物。德國人對於只懂專業，而缺乏常識的人，有個不雅的稱呼：叫做Fach Idiot，就是專業白癡的意思。

我國的大學教育制度，沿襲自美國。民國七十二年教育部要求各校開辦通識教育，以彌補專業導向的教育體系下，人文教育普遍不足的情況。現在各大學都提供一、二年級學生一系列必修或選修的通識課程。透過選讀這些科目，豐富學生的視野，增進人文的素養，培養專業倫理，建立正確的人生觀。此外，也提供藝術鑑賞及文學課程，培養學生對藝文的興趣和欣賞能力。

人文教育未受重視

教育應當重視德、智、體、群、美五育均衡發展，由於國人心態上一直存有士大夫那種「萬般皆下品，唯有讀書高」的觀念，學校課程偏重智育，而忽略了其他四育的薰陶。如果學校要加強通識課程的份量，使學生人格朝均衡發展，會引起部分家長的反彈，和部分教授的反對，原因是擔心學生所接受的專業知識會相對的減少。

數十年來，我國的教育一直受到功利主義的影響，偏重於科技專業技術，人文科系被認為是難以謀職、甚至是沒有前途。民國七十八政府再度開放私人辦大學時，為了

考量就業市場，當時也不核准人文學院的成立。甚至國立大學的人文科系要成立研究所，都比較其他科系困難。就國家整體而言，人文教育一直未受到政府及民間的重視。國人過度重視實際專業，是不爭的事實，因此，人文教育的體質顯得非常薄弱。學業成績優秀的孩子，父母師長都鼓勵他去學醫、學工、學管理，所以我們可以發現，中華民國最優秀的人才都是醫生。近年來，這種風氣已經逐漸改善，但願將來的學生，都能依照自己的專長及興趣來選讀科系。

其實，健康的教育制度，通識教育應該平均分配在小、中、大學的課程裡。中、小學生應該接受公民教育和生活教育，學習個人與國家民族、社會人類的關係；以及基本人際間相處之道，和進對應退的禮儀。大學階段則需規劃較深入的課程，強化人對於本身的認識，人與人，人與天地自然的關係，存在的價值和意義。所以大學的通識教育，應以人文教育精神為主軸，涵蓋的範圍，應包括人生哲學、倫理學及宗教教育等。

宗教與宗教教育

所謂「宗教」，是以信仰為依歸。正信「宗教」必須具有一定的「宗旨」，能「教化」於民。真正的宗教，具有慈悲利他的精神，以淨化心靈、勸人向善、解決人的問

題為目標，可以安定社會，導正人心，經得起長時間的考驗。因為正信的宗教，都具備完整的教義和教理，建構在道德倫理的基礎上。宗教教育，其實是一種人生哲學，且必然以道德為基礎。透過認識宗教哲學及正當的信仰，學生的心智必然有所成長：

1. 認識本身存在的價值和意義。

2. 認識人與天地自然、宇宙萬物之間的關係。

3. 啟發其仁人愛物的氣度與胸懷。

4. 有信仰的生活較踏實，因為胸襟較開朗，人生有方向。

5. 遇到困難挫折，有信仰者較有勇氣承擔。

6. 由於心靈有寄託，面對生老病死，較能坦然處之。

7. 重視因果的人，不敢為非作歹。

8. 學習慈悲喜捨，能造福社會弱勢族群。

9. 心懷對人類社會的關懷，生活充實而愉快。

10. 正信宗教的靈修和懺悔，能導正世人改過遷善。

11. 從宗教歷史中賢聖的言行教範、以及對崇高的人格，產生景仰效法之心。

在國內，教育雖然強調多元化，然而宗教教育卻並未受到重視，直到近年來，才有較開放的政策，如今輔大、中原已有宗教系，將來還可能成立單一宗教系所。

宗教人士辦學的目的

　　宗教人士辦學，即使是辦一所社會大學，其目標和宗旨，必然含有宣導宗教理念的成份。所以過去我國高等教育，對於宗教人士辦學，都有所保留而諸多干預，就是因為耽心其過度偏重傳教。近年來，隨著教改的腳步，開放私人辦學，佛教界亦已成立多所大學院校。既然是宗教人士所辦的學校，就應該具備宗教精神、理念及特色，不宜迎合社會潮流及價值取向，應秉持無私無我，犧牲奉獻的精神，倡導慈悲、智慧、平等、博愛，以善導社會、淨化人心為目的。

　　宗教人士所辦的大學，如果與一般大學完全相同，只是追求專業學術之卓越，及專業技能之提昇，似乎有失宗教辦學的本懷，是值得遺憾的事情。因為一所大學的創建，所需要的成本相當高。大學是培養高級知識份子的場所，由於國民教育的素質普遍提高，除了國立大學外，私人企業、宗教團體創辦大學的風氣十分蓬勃。每一種辦學，都有其既定的目標和宗旨。我認為，培養頂尖的高級研究人才，或是未來領導社會國家的菁英，理應是國立大學的責任。宗教界人士所辦的學校，固然也是為國舉才，但更重要的，是培養具備宗教情操的社會中堅基層幹部，建設康莊和睦的家園為首要的任務。

　　國家對於高等教育所投入的財力，十餘倍於私立大學，自是十分充裕。無論軟硬體的建設，亦是不惜耗費巨資。私人辦學的人力及財力，無論如何都無法與之抗衡。所以國立大學優渥的環境和條件，比較適宜於大型的學術研究，及培植專業學術人才，以期未來在各行各業擔任領導工作，厚植國力。另一方面，我們也清楚的知道，五十多年來，私立大學為台灣所造就的人才，高達百分之六十以上。可以稱得上是「鄉土建設的工程師」，私立大學的畢業生，流失到歐美各國的比率較低。所以台灣今天的經濟奇蹟，相當大的成份與私校畢業生的貢獻有關。

　　私立大學的教育，多是由熱心教育事業的人士所推動。所以抱有一份對教育的執著和理想。私立大學的校長，是由董事會遴選和聘請的，所以也較能長期配合推動該校辦學的初衷，對於學校整體規劃及長遠發展，理念的落實，校風之建立，都能朝著目標發展和經營。國立大學的校長，過去是由教育部委派，如今則是由各學校自組遴選委員會來選拔，國立大學選拔校長的標準，通常是以學術成就為其重要考量，所以校長在任內，可能仍是以學術研究為主要發展方向。

　　輔仁、東海、中原和華梵，是幾所由不同宗教人士所創辦的大學，特別強調人格均衡發展的人文教育。這些學校在體制上是屬於社會大學的結構，並非宗教大學，更不

是神學院或佛學院，華梵大學不可能如日本某些佛教大學一般，師承某一宗派，單獨發展該宗派的學術理論。同時，值得注意的是，在一所社會大學裡，學生來自不同的家庭，成長背景不同，學校不宜過度宣揚一種宗教信仰，甚至強制性的傳教。這樣做，無形中不但對其他宗教徒不夠尊重，甚至會產生排他效應，對某些學生心理可能造成傷害。既然是宗教辦學，更應該本著慈悲平等博愛的宗教精神，關照到一切學生的生活和作息空間。所以，華梵大學從不勉強學生吃素、做早晚課、參加法會、或硬性修習宗教課程，只提供一種環境，希望啟發學生對生命的省思，同時，藉著師長們循循善誘，身教與言教並重，來體現宗教的慈悲與關懷。

宗教精神在校園的實踐

　　以華梵大學為例，從校園的規劃，融匯景教與境教，結合儒佛思想中的道德倫理與悲智精神，「文物館」的美育薰陶；「院覺室」的禪修；透過課程設計，服務性社團的活動，師生互動；「人文教育講座」，使同學們在身、心、靈方面獲得安頓與自在。進一步肯定自己，開拓智慧潛能，爭取更優秀的學業成績，追求成熟均衡的人格特質。此外，透過大一的勞動服務教育，以及園林荷鋤耕耘，腳踏實地，以勤勞務實的毅力與決心，建立服務利他的人

生觀。

關於宗教教育的落實，應不限於通識課程的設計。靈修的場地、對信仰生活的輔導，以及宗教社團的活動，是各大學宗教教育的重心。

以幾所宗教界的大學為例，根據調查了解：

一、靜修的場所

如輔仁大學、東海大學都設有獨立的教堂，師生們可以隨時禮拜祈禱。華梵大學雖沒有獨立的寺院，但是，由校園步行十數公尺即可至「蓮華學佛園」，內設「大佛殿」和禪堂，白天開放，可供信眾自由參拜靜坐，或自由參加「蓮華學佛園」的早晚課。

二、信仰輔導

東海及中原大學設有「校牧室」，由多位牧師輔導學生心靈信仰問題。輔仁大學設有「宗教輔導中心」，亦有神職人員負責心靈輔導工作，華梵大學設有「院覺室」，是學生聚會共修或禪坐之處，也有出家人擔任導師，輔導信仰生活等問題。

三、宗教社團活動

學生宗教社團，不是宗教界所辦大學之專利。許多大

學都設有各種宗教社團，如台大的「晨曦社」，已有數十年的歷史了，成大有「東哲社」，華梵有「人華社」。有些大學設有天主教或基督教團契，而宗教社團亦不局限於創校之宗教，如輔大就有佛學社。

各大學通識教育中的宗教與道德教育

台灣各類型大學所規劃的宗教及道德課程，以成功大學（國立）、輔仁大學（天主教）、中原大學（基督教）、淡江大學（私立）、和華梵大學（佛教）的通識教育課程為例，在此作一概略的說明：

成功大學的通識教育，是以學群為主體，性質相近的系所，開設相同的通識課程。可顯見的，是許多系所都設有倫理學；關於宗教的課程，只有個別系所開設佛學概論、宗教學概論、生死學、比較宗教學、禪與人生、或道家思想等，這些課都是選修的性質。

輔仁大學主要的通識課中，「哲學概論」是哲學系以外，其他系的必修課，對於訓練學生研究學問的方法，有很大的幫助。此外，「人生哲學」也是必修課，以「建立自我人格」為目的。羅光總主教曾說過：「這方面所指的人格，乃是品格，乃是自我意識。善惡的規範，人生的目標，事物的價值觀。」另外，輔大還有一門有意思的課，名為「大學入門」。今天社會上的學校各式各樣、五花八

門。因為「大學」的名字響亮，社區各種學校，都喜歡套上「大學」之名，所以「老人大學」、「社區大學」等紛紛出籠。而「大學」究為何物，一般人並不很清楚。輔仁大學針對每位新鮮人，規定必修「大學入門」，以彰顯大學的功能，及大學生的義務與責任，確是很有見地的作法，值得各校參考。此外，輔大也重視專業倫理，由外國神父來擔任此一課程。

中原大學提倡全人教育，該校的通識教育，包括專業倫理、信仰與生命探索、文化與生活、藝文欣賞、通俗科學及綜合等六大類。與其他各大學比較下，中原大學開設的宗教和人文關懷的課程最多，也最強調宗教教育。例如在信仰與生命探索類中，設有宗教哲學、人生哲學、生命奧秘的探索講座、生死學講座、基督教與台灣現代化、基督教與中國現代化、台灣基督教史等，另外，在文化與生活類中，還有宗教與人生、人生觀的設計，和人文世界的探索等。

根據淡江大學八十七學年度的「核心課程方案及各學門教學大綱」，顯見該校對於通識教育的規劃非常用心。通識教育分為十一個學門，其中一類為「道德倫理」，其中包括生死與苦樂、人情與理法、環境倫理、醫學倫理、宗教與人生、職業道德與企業倫理、倫理規範與文化差異、儒家倫理與現代精神、生活世界與道德規範、道德自覺與

生活智慧等，約有二十門課之多，而每位學生必須選修三個學分。

　　與上述各大學相比較，華梵大學是一所學生人數僅三千多人的精緻學府，即使是通識課，每班選修學生人數必須維持十餘人，否則課程會開得很多很雜，而選修者卻寥寥無幾，所負擔的經費太過龐大，因此華梵目前無法規劃太多的課程。華梵大學設有所謂校核心課程和院系核心課程，前一種規劃中，開設在大二的「覺智與人生」是必修課，研究創校理念「覺之教育」，其主旨不在傳教，而在於覺察善惡之取捨，建立反觀自覺的能力，培養慈悲智慧，和樂觀進取的人生。同時也研究「覺性」與個己及人際關係。該課程進行的方式和內容，曾經反覆一再修改，以求達到更完善，除上課的方式力求生動活潑外，並延請優秀師資作專題演講，安排靜坐，促進師生間互動討論。本學期又開辦了「宗教與文明講座」，以彌補課程多樣化的不足。此外，華梵大學所開設的課程中，還有三學分必修的「中華覺性文化」，取代了傳統的國文課。其中如《論語》、《孟子》的生命哲學、《莊子》、《老子》、《易經》等，都是該課程的主要教材。當然，通識教育也提供了一般的佛學概論、高僧傳、生死學、佛教藝術等選修課程。

宗教、道德與倫理教育

完整的教育應該提倡五育均衡，如今在功利主義影響下，「德育」日漸式微。私立大學對於人格教育反而比較重視，中原大學標榜「全人教育」，華梵大學大力倡導「覺之教育」，是有完整規劃的理念，可具體推動的長遠目標。

教改之初，社會及學界花費了太多時間談「校園民主」，標榜「教授治校，學生自治」。後來陸續有幾位美國權威大學校長來台訪問，當記者詢及他們的治校理念時，似乎與我們所談的「校園民主」，有一大段的落差，這個題目才漸行冷卻下來。我們今天最缺乏的是道德倫理，若再不加以重視，即使經濟再繁榮，再多的金錢也買不到國格，買不到尊嚴。

因此，我認為在大學校園中，要講道德，更要講倫理。所謂「大學之道，在明明德，在親民，在止於至善。」儒家的「大學」雖然不同於現在的大學，然而在中國的傳統教育中，能彰顯固有的人文精神。因此我建議大學的理念，除了「教學、研究、服務」外，還應該加上「明德」。至於「明德」的具體措施，則應以道德教育為主軸。

此外，道德與倫理的意義並不相同，根據謝林（Schelling）的解釋：「道德是針對個人的要求，只要求個人人格之完美；而倫理則是針對社會的要求，必須社會全體

遵行，藉以保障每一個人的人格。」根據黑格爾（Hegel）的解釋：「道德只針對個人的主觀意向，而倫理則指體現於家庭、社會、國家的客觀精神。」我們應當強調「校園倫理」，就是權責分明，各有所司，齊心協力，彼此尊重的教育。教授們最應該關心的，還是好好研究，好好教學，好好輔導學生。學生的義務是認識自己，學習處理問題，解決問題，進對應退之道，啟發思維創造能力。無論遇到任何困難，教職員生都應該透過理性溝通共同解決，不應動輒引用社會上的抗爭模式。我國自古講求人與人之間互相尊重，是有利於工作推動，和提昇工作效力的不二法門。

此外，無論宗教或道德倫理教育，在教學的方式上，應盡量採取輕鬆活潑的方式進行，而不是呆板的說教。尤其在比較各宗教時，應保持中立客觀的態度，大學通識課程可開設如佛學與人生，基督教與人生，人生哲學等課程，除了介紹宗教的歷史及要義外，更要將宗教的功能彰顯，以啟示生命意義為目標；儒家的《論語》、《孟子》、《大學》、《中庸》是中華文化的精髓，也應分別納入中學及大學通識教育中；（香港中文中學的國文讀本，都有《大學》，《中庸》，和部分的《論語》和《孟子》）；如今專業倫理開始普遍受到重視。在許多大學的通識課中，設有「倫理學」或「專業倫理」，例如「新聞倫理」，「

工程倫理」，「醫學倫理」，「企業倫理」等，我認為最重要的，還是生活基本倫理的落實。

談到倫理學，當然是著重於對人的尊重，面對二十一世紀及社會價值混淆的今天，「倫理」更是重要。同時，人類對自然環境和生態維護，亦應在通識教育中加以規劃，這是另一種倫理，繼李國鼎先生提倡第六倫（人與社會）後，王洪鈞教授更提出第七倫（人與生態）、第八倫（資訊社會傳播倫理），值得我們深入探討。

人文教育應及早開始

然而，德育的推動，不應該只局限於課程設計，因為道德不是理論，更是實踐。基本的「生活禮儀」，應該編進中、小學的生活教育，或是公民教育裡。若在大學仍一再重複基本禮節，講得太多，彷彿在宣讀教條，會引起反效果。

最好的德育，是每一位教師本身都具有人文素養，由於教師平日對學生的接觸關懷，而其自身言行舉止必會影響學生，令他們心受感動。所以說：「身教重於言教」，為人師表者，不只要具備專業知識，還應具備崇高的品德，不只做一位「經師」，也要以「人師」為職志。時常關心學生的生活作息、發現學生在言行舉止上，有虧常理，或表現出偏激的態度，應該適時予以導正。

　　提倡通識教育，將人文精神融入課程，若是從大學開始，的確是太遲了。因為大部分的大學生，人格特質已經固定。此時，若以填鴨的方式，灌輸一些觀念，似乎顯得有些呆板，好像不具生命的知識，比較不容易融入生活。當年輔大校長羅光總主教就曾在〈人文教育的基本觀念〉文中，主張分別將小學、中學及大學的人文教育，作不同程次的規劃。他認為：

　　小學生的生活，是以家庭為主要的活動範圍。所以學校生活教育，應配合教導兒童一些基本生活的倫理：如孝敬父母，友愛兄弟姊妹，培養勤勞誠實、整潔有禮，培養運動習慣，並啟發思考發問的能力等。

　　中學生時代的少年，漸漸有了社會生活，此時學校應培養其國家民族意識，由歷史及地理課引入時空的觀念，使學生了解本身與斯土斯民間的關係。但是，另一方面，責任心、正義感、公德心，和禮貌等，都應規劃入公民教育之中。

　　到了大學時代，通識教育應重視培養其獨立思考的能力，和成熟自主的人格，提昇其對自我的認識，及對生命價值和意義的探索與追求。

問題的探索

　　世界上各大宗教，都會發展出一些支派（Sect），尤其

中國民間信仰種類甚多，難免有些神奇怪異的成份。尤其近年來，社會上所謂的「宗教亂象」，盡是些光怪陸離、荒誕不經的題材，毫無法脈、教義、學理可言。雖然正信宗教嚴加指正和批評，而未經深思的民眾卻趨之若鶩。這固然是他們成功利用人性好奇心理，製造出一些靈感事蹟，誇大渲染，蠱惑民眾的結果；另一方面，以「即生開悟證道」來欺騙求道者，在這個社會不安定、人心焦躁不安的時代，也產生了相當的效果。

令人不解的是，這一類型的團體，堂而皇之入駐校園，信眾中不乏高級知識份子。許多學者竟以「新興宗教」名之，前幾年的「宗教亂象」其實只不過冰山一角，存在於全省各種異端邪說，遍佈各地。這些信仰一旦有了更多的基本支持群眾，從事一些蠱惑人心、破壞社會善良風氣的行徑，則宗教的社會地位必然會遭受到譴責和質疑。而宗教教育勢必受到負面的阻力和影響。如果有一天他們利用信眾的壓力，要求將靈符神咒、特異功能、占星問卜、地理風水，甚至觀落陰、乩童作法等，都列入通識課程時，不知教育部及學校該當如何對應？

值得慶幸的是，目前國內只有正信宗教在辦大學，辦學的態度亦是十分嚴謹，宗教課程則是以宣揚道德倫理為主要目標。由於辦學者都是來自歷史悠久的宗教，所以他們一心以宗教熱忱，慈悲為懷，推動心靈淨化，對社會有正

面積極的功能。若是將來有一些假「宗教」之名，而從事非法之團體，申請要求辦學，未知教育部可有對策良方？

另外，有一種困難必須提出來，「道德倫理」多少會受到時間和地域的影響。例如中國人比較重視晚輩對長輩的「孝」；西方人卻比較講究父母對兒女的「愛」。東方倫理中著重血脈之親，兄弟手足之情；而西方道德則強調由婚姻結合的夫妻之義。

此外，中國儒家講五倫，即父子、夫妻、兄弟、師生、和朋友。佛教的《善生經》，談到在家居士應禮敬六方，即父母、兄弟、夫妻、師長、僧侶，及下屬。李國鼎先生當年提出第六倫。今天的台灣社會，受到西方文化的衝擊甚大，千年來的中華文化受到挑戰，但是傳統文化中仍有許多歷久彌新的真理，具有一定的影響力。校園裡，如何整合優良的新舊文化觀念，建立良好的道德綱領和價值體系，以更適合人性，適合時代，且又能提昇人的道德品質，是值得深入研究的課題。隨著二十一世紀的來臨，為了加強倫理教育，我們還要提倡第七倫、第八倫，以促進人際間和諧，互相尊重關懷，來創造更美好的明天。

宗教教育是以學理為基礎，以「成人」為鵠的，如太虛大師曰：「人成即佛成」，透過通識課程，將道德倫理，配合宗教的藝文美學，探討建立一個正確的信仰和人生觀。儒家所謂「志於道，據於德，依於仁，遊於藝」，此乃

教育的終極目標，值得我們共同努力。

一九九八年十二月二十一日講於台北醫學院

「第七屆全國通識教育會議」

知識經濟時代的大趨勢及競爭力

知識與經濟

　　以知識為經濟發展的基礎，是全球未來的趨勢。政府揭櫫今年為知識經濟年，即宣示我國經濟發展的方向。知識是非常重要的資源，如同財富，可以享有、累積和利用。古代的讀書人，以知識豐富生命，修身養性，加強道德人品，不以「功利」為出發點。如古代人對於錢財的管理方式，是把財寶藏在枕頭裡，或是埋在地底下，他們感到安全的地方。現代人則把錢存進銀行，藉著生利增添財富。可是隨著物價攀升，存入銀行的錢，會在物價波動下縮水，理財的觀念產生了，錢如何滾錢，如何藉由投資管道創造更多的財富，成為追求財富的一門學問。

　　如今，知識也不再是學者們象牙塔內的珍藏之物，隨著「活學活用」、「學以致用」等觀念的普及，學者們藉著講學、研討、和網路，拓展了知識流通的契機。終身學習的生涯規劃，更是現代人必備的生命觀。

　　當知識普及後，就成為常識，普及的知識愈廣，利用

知識創業的機會隨之增加。知識的傳遞、散播與應用，可使產業升級，有效的增產報國。同時，知識的普及與開放，促使社會文明更進步。

另一方面，利用知識獲得更多的知識，有效率的開發知識，掌握知識取得的管道，大幅節省了時間和精力，可事半功倍的利用知識的寶庫。

經濟是國家的命脈，無論是建設科技島，成為亞洲金融中心，或是「八一○○，全民啟動」，都是以經濟發展為核心的政策。過去在七十年代，大陸還在搞文化大革命，經國先生推動十大建設，振興經濟，台灣即時富裕起來。可嘆的是，如今大陸在搞經濟，而台灣政黨間卻在搞鬥爭，經濟不景氣，失業率攀升，是政府與全民必須共同面對的問題。

知識經濟

知識經濟是一種新型態的經濟。一九九六年經濟合作發展組織（OECD）提出「以知識為本的經濟」，認為知識是提高生產力的主要因素。張忠謀先生認為：「以知識創造財富，是謂知識經濟。」事實上，知識經濟是以日新月異的專業科技，先進的管理技術，配合嶄新的世界觀，應用於創造財富的目的上。在這同時，能讓知識活起來，經濟活起來，這是大時代的一種趨勢。

　　張忠謀先生認為：「台灣目前還談不上所謂的知識經濟。」也就是說，我們的專業技術並不夠成熟，許多產業還停留在加工整合的階段，屬於中下游的工作，而非站在研發第一線，創造的利潤不可能很豐厚。因為R&D，研究與開發新技術和新產品成本很高，價格相對昂貴，帶來的利潤也較高。一旦生產方法普及化了，成為routine線上作業，製造過程就會簡化，成本降低，價格也普遍跟著降低。

　　大前研一在《看不見的新大陸》書中指出，人類文明發展至今，出現了一個無形而真實的新大陸，有很多人正在不斷的向該大陸移民、拓荒、投資、致富。在這一片看不見的新大陸，無形的知識將取代有形的廠房、土地、資源，朝向精密工業，整合產業而迅速發展。

　　知識經濟具有四種特徵：

1. 有形的向度（Visible Dimension）：指傳統有形經濟的開拓。
2. 無疆界向度（Borderless Dimension）：沒有國界的產業流通。
3. 數位科技向度（Cyber Dimension）：通過網路電訊交易發展。
4. 高倍數向度（Dimension of Multiples）：槓桿原理以小博大以致富。

這四種向度代表四種不同支配經濟的規則，是掌握成功的秘訣，因此所謂知識經濟，就是無國界經濟，有形及虛擬經濟、和高倍數成長經濟的組合體。

知識經濟時代大學功能

在知識經濟來臨的時候，必須有心理準備，如何增強競爭力來因應這種大環境的趨勢。因此知識經濟時代的來臨，我們勢必面臨更強大更嚴苛的挑戰。

知識在那裡？知識藏身之所是大學校園，大學裡有教學、研究及推廣，有知識的傳承和知識的創新。可是，面對新經濟時代的發展，不禁令人對大學功能的定位，發生一些疑問。

擁有豐富專業知識的教授、學者、專家，是大學的主要成員。如果鼓勵他們從事創業致富，就不可能甘心於寂寞的教學研究工作。然而，大學教授的本分應當是基礎研究，將專業知識傳授與學生，並開發新的研究族群。如果替一些企業開發新產品，對於國家科技長遠發展，以及學生的受教權，未嘗不是一大損失。另一方面，科研工作不可能一刻停下來，需要學術人全心投入（dedication）。基礎研究不可能帶來財富，又沒有人可以兼顧創業和學術研究。同時，發展知識也不應當以致富為目的，否則會窄化知識研究的範疇。追求真理才是大學校園的主要目標，學校

扮演的角色，頂多是透過建教合作，技術轉移（Technology Transfer）。在追求知識經濟的同時，知識人不應當迷失自己，大學的功能仍應以傳授知識、發展學術、找尋人生價值觀、開拓智慧潛能為目的。

　　至於產業研發，化知識為利潤，應當是企業界本身該做的研發工作。知識要活學活用，創造力並不等於知識，但是沒有充分的知識作背景，則不可能創新。具有充分的基礎知識背景，才能靈活思考。因此左、右腦平衡發展，專業知識與人文素養兼融並重，才能整合知識、「學以致用」、開發改革，為國家創造財富。

人才培植與文化陶成

　　不論舊經濟或新經濟時代，社會的繁榮進步，有賴於一種文化的陶成。站在教育的本位，我們認識到知識經濟是擋不住的趨勢，要加強競爭力，必須充實知識。向內拓展潛能智慧，向外吸取新資訊，提昇自己創造知識的能力。

　　對政府而言，有幾個重點需要加強：第一是對教科文的投資，大力培植人文、科技、和管理各方面的人才，第二是充分國際化及市場自由化，創造經濟發展的優質環境，第三是全民和諧安詳的社會基礎，這都是知識經濟發展必須具備的條件。

　　教育方面需要充裕的經費，才能有效提昇教育品質。

教育是百年大計，教育成功，國家的未來才有希望。其次是有效的輔導升學，作好社會各階層人才供需調查，以調整教育的政策方向。知識本身是中性的，如果沒有人去應用，則始終還是無法啟動，所以人才是最寶貴的資本，政府要積極作育英才。根據高雄第一科技大學的一項統計，發現科大的學生普遍缺乏學習、溝通、表達、人際關係、領導和英語能力，其實，這一現象是普遍存在的問題，所有大學都應當加強學生這方面的能力，因為這正是知識經濟時代競爭的必備條件。

教育經費多一些，盡可能減少與大陸之間的軍備競爭，或是以金錢換取邦交國。增加軍備，不過是讓美國人獲取暴利；至於上百億美金送給政局不安定的小國，他們只與我們維持短暫的友好關係，利之所趨，轉過頭翻臉不認人。若能用這些錢幫助中輟生，減少社會問題；十年計劃就足以培養一批有潛力的棟梁之才，為國家未來作周延的準備，豈不更好！

現在我們已經過度熱中經濟，推崇科技。知識經濟可以帶來財富，卻無法解決人心的問題。有許多無形的寶物是買不到的，金錢不見得一定能帶來幸福。

人生究竟追求什麼？生命的價值應當是人類本身的幸福。生命的意義應當是追求自我的實踐。若能讓人擁有一套正確的價值觀，活得心安理得，才是幸福的保障。人生若以

創造財富為目的，難免會迷失，在大時代的狂濤中被吞噬。孟子見梁惠王曰：「王，何必曰利，必有仁義而已矣！」培養高品質的人文精神，加強教育與藝文活動，創造優質的文化，才是社會詳和安定的基石。

將台灣發展為亞洲電子轉運中心

今天台灣經濟發展問題重重，意識形態造成朝野紛擾不安，多頭馬車致使溝通困難，產業政策搖擺不定。如核四喊停就停，說復工就復工；台南科學園區發生高鐵震動問題。民權高漲，建設與經濟，產業與環保之取捨爭執不休。如何要讓企業家不出走，要創造什麼理想環境讓他們根留台灣，或是引進國外投資，政府應當努力。

根據《紐約時報》一篇報導：點出台灣產業發展的三大困境：「台灣如今土地稀少且昂貴，昔日亞洲科學園區典範的竹科，今天不但壅塞，且時常因供電不足而跳電。二是勞動力不足，尤其是科技人才方面，台灣的大學一年教育出約四千位工程師，而大陸則有十四萬名，有經驗的上海工程師薪資只有台灣工程師約三分之一至四分之一，一般勞工的差距更大。三是台灣的工程師缺乏創新能力，大學生不重視尖端科技的研發，加上半導體工業蓬勃發展，吸引畢業生直接就業而放棄出國的機會。」轉型期的產業，科技專業人才不集中，每當發展某個重點科技時，就會面

臨團隊整合的困難。

　　大前研一先生建議是，台灣可以發展為亞洲電子轉運中心（e-hub），其實是旁觀者清，值得政府深思的作法。若能利用先進的電訊系統，網羅來往大陸所有投資及消費資訊，調整對大陸的投資策略，作為世界各國前進中國的先驅，可以為台灣創造新的商機。英文《台北時報》中，菲利浦公司台灣總裁P. Zeven 也說：「中國，是台灣巨大的機會」。他不但指出菲利浦將借著在台灣的經驗前進大陸，且認為「從經濟與科技的角度而言，未來將中國的力量與台灣的力量整合，必然是很重要的發展。」台灣的優勢不但是與大陸同文同種，擁有高科技人才能說中、英、日文，且充分了解大陸當地的文化，市場機制和管理方式，更重要的是台商在大陸投資合作的成功經驗，是外國人所缺乏的。

　　要提高台灣整體的競爭力，最重要是把意識形態擺一邊，淡化政治議題，開放三通，發展電子轉運中心。此外，提高人文素質，凝聚全民共識，加強文化教育，建設以誠、以禮、以信相待的人文社會，都是目前最重要的課題。我們可以斷言，沒有人文精神作後盾的知識經濟，將會帶來核心價值觀改變的危機，這絕不是我們所樂意見到的。

　　　二〇〇一年六月四日講於「公務人員培訓班」

談生命的自我實踐

　　人類的生命來自大自然，她孕育無限生機，我們才有豐富的物質資源，不愁吃，不愁穿。大自然也是人類的好老師，「師法自然」就是鼓勵我們，多親近大自然。蘇東坡詩云：「溪聲盡是廣長舌，山色無非清淨身」，廣長舌與清淨身都是比喻教化之功。中國的出家人多愛山居，所以「天下名山多屬僧」。出家人修習禪定，正可向崇山峻嶺傚法。另一方面，海洋瞬息萬變，象徵智慧的深邃莫測，所以佛經形容「智慧如海」。崇尚簡樸，回歸大自然，人會活得更健康快樂，心境也會隨之更加開闊。

成聖希賢，各盡本能

　　人生若要活得幸福充實，首先要認識自己，了解自己。心理學家馬斯洛博士依照動物需要劃分為五等：即生理的需求，安全的需求，愛與歸屬的需求，尊重的需求，和自我實踐的需求。前二者是一切動物所共有，但是人類除了動物原始的欲望以外，還有更進一層的需求，那便是人之所以為人，與其他動物不同之處。人是社會動物，必須共

同相依，人需要被愛、被關懷、被尊重、被認同。當這些具體的需求獲得一定程度的滿足後，人類還要提昇自己，追求最終的生命意義，這便是偉大人格的體現，這種追求是一種成聖希賢的原動力，經過提昇自我，超越自我，完成自我，或者立言，或者立功，或者立德，做出一番轟轟烈烈的大事業來。

　　每個人活在世界上，都有自己的生活方式，有人走的是康莊大道，有人顛沛流離，生命內容不盡相同。因此，站在人生的舞台上，不可能每個人都有立下豐功偉業的機會。但是，只要堅守崗位，把聰明才智發揮得淋漓盡致，扮演好自己的角色，善盡每一個社會人的義務和責任，就無愧於自己的人生。

心靈自由，活出尊嚴

　　各位也許有想過，生命的意義和價值究竟何在？其實，「自我實踐」是屬於內在精神生活，故涵蓋思維、意念、分析、比較等心理活動。外在生活的層面，主要是為人處世之道。內、外生活是相互影響的，精神生活豐富的人，通常活得較充實，因為即使他身處困境，心中仍保有一片藍天。

　　我的舅舅就是這麼一個例子，他在五十年代因為百花齊放而獲罪，被放逐到湖南漢陽勞改八年，好不容易服刑期

滿，又在文革被打為黑五類，戴著高帽子敲鑼遊街。胸前還掛個牌子：「我是死不悔改的黑五類。」認識他的人，不想讓他難堪，都會自動迴避。晚年雖得平反，卻又患上嚴重的氣喘病，他在精神和肉體上所受的折磨，是自由世界的人所難想像的。然而，他對生命的熱愛卻是世間少見，他若無其事的忍受殘酷現實對他莫須有的鞭撻，那是因為他豐富的心靈天地。他有一顆童稚之心，擅長繪畫，對於外界的事物，保有高度的好奇心，喜歡靜靜的研究。他一生不但以誠待人，連同他所使用的物品也特別愛惜，我送他一台電視機，看電視後他會替電視撲扇子。

另外一個例子，是漫畫家豐子愷先生，文革期間是上海被批鬥的主要對象。每天被紅衛兵拖去罰跪、挨打、挨罵。但是，當鬥爭大會結束後，他會自己打一壺酒，與他的學生胡志鈞喝酒聊天，好像不曾發生過什麼事。

人的心靈是自由的，任何人不能侵犯，要如何充實精神生活，完全靠自己安排。就像一位農夫，在心田勤耕播種，很快就可以享受豐收之樂。當獲得充實的精神糧食後，從生命流露出來的慈悲和智慧，還可以與人分享。把快樂和幸福散播給周遭的人，讓人我關係更融和，人生自然會過得更美滿！

每一種正信宗教的要義雖略有不同，但卻殊途同歸。基督教的「自我實踐」是要透過天人合一，對內「信上帝」

，對外「愛世人」，以這兩個準則突顯生命的尊嚴。例如德蕾莎修女，在不愁衣食的寧靜修道院裡，心卻跨越高牆，誓願為垂死的、貧窮困病和絕望無助的人，奉獻自己的力量。她從痲瘋病人身上看到基督，因為基督說：「我饑餓，我赤身裸體，我居無住所。」

　　另外一位偉大的時哲，就是「非洲之父」史懷哲醫生，擁有四個博士學位的歐洲才子。他以一念之仁，將才能與熱忱獻給了非洲苦難的人民。這兩位都是大家耳熟能詳的偉人，天底下還有無數默默行善的醫生、護士、神職人員、義務志工，無私無我的幫助饑寒病苦的人，由他們身上散發出人性的光輝，而他們的言行也影響了全世界，使人間變得更溫暖。因為第三世界的教育並不普及，貧窮饑餓基本問題並沒有解決，已開發的國家，應當發揚人道精神，幫助這些國家遠離戰爭和饑餓，共享幸福人生。

實踐自我，立己立人

　　儒家「自我實踐」的次第，是從內到外，所謂誠意正心，格物致知，修身，齊家，治國，平天下。隨著自己的能力，來盡自己的責任和義務。「誠意正心」為自己建立一個中心思想，向內紮根。「格物致知」則是追求知識的方法，若依陸象山的解釋，則是「格物慾，致良知」，是內在的修為；修身是端正言行舉止，做一個彬彬有禮、堂

堂正正、光明磊落的人，這是內生活的架構。

　　齊家包括了夫唱婦隨、父慈子孝、兄友弟恭。現在的人談不上齊家了，高離婚率造成許多單親家庭，不健全的成長環境衍生了許多問題。家庭原應是療傷止痛的棲息場所，躲避暴風雨的港灣。如今卻在許多家庭裡，充斥著暴力和傷害。從報章上常讀到一些駭人聽聞的社會新聞，如婦人帶著稚子自焚；狠心父親把親生子女丟棄溺水；傷痕累累的孩子奄奄一息，才被社工人員發現。這些孩子們連基本的人身安全都談不上，更遑論家庭教育了，今天家庭問題和社會問題嚴重至此，真不知學校還能使上多少力量？

　　所謂「忠臣出於孝子之門」，好的家庭必有好兒女。經過嚴父慈母的調教，這些年輕人踏出社會，竭盡所能報效國家，可以肩負治國平天下的大任。

　　中華文化博大精深，儒家「完成自我」的過程可分成三個階段，如《大學》所言「明明德，親民，止於至善。」《大學》是指「大人之學」，也可以說是「終身教育」。「明明德」是治心之學，儒家的「明德」等於佛家的「佛性」，是人人本具，個個不無，有如一台明鏡，需要時時勤拂拭，莫使塵垢堆積。這是神秀大師所提倡的修學方法，也是智慧和潛能開拓的必要功夫。至於「親民」，就是培養人際關係。由近而遠、由親而疏，「為人止孝，為臣止忠，為弟止恭，為友止信。」而「止於至善」則是最高人格

的自我實踐，人的生命目標在於成為品德高尚，人人敬重的完人。

誠意正心，善之根本

我覺得「誠」，應是儒家明心見性的不二法門。正心誠意的人，所言所行均合乎道，因此「誠」是一切善因善果的根本。《中庸》云：「誠者，天之道也；誠之者，人之道也。誠者，不勉而中，不思而得，從容中道；誠之者，擇善而固執之者也。」

「誠」是聖人的「至善」境界，所謂「自誠明，謂之性。」是聖人天生本有的「明德」。「誠之」則是「實踐自我」的修學行為，身、口、意均合乎「誠」，所以「自明誠，謂之教。」也就是透過不斷的學習和教化，來達到「明心見性」的目的。

若以佛法而言，「誠」是「一念心」的功夫，「誠」則煩惱不生。「誠」的自我實踐，要靠「學習」和「教化」的功能。《中庸》提出「博學，審問，慎思，明辨，篤行」五個步驟，彼此環環相扣，若能如此下功夫，則「雖愚必明，雖柔必強。」

反觀現今的教育，師生間缺乏互動，老師在台上講，學生沒反應，懂了沒有，老師也「莫宰羊」，是否經過「慎思明辨」，或是不管對錯，通通含混吸收？《孟子》曰

：「盡信書不如無書」。其實老師也是人，既是人就難免會犯錯，所以「盡信師不如無師。」學生有懷疑，應該多發問，才會有進步。真正的知識必須「慎思明辨」，經過整理後才能吸收，如同科學發明，除了理論，也必須配合實驗佐證，才能融會貫通。例如李政道、楊振寧先生的「李楊定律」，就是靠吳健雄博士的實驗證明，才能放射出奪目光芒。國內有些婚姻專家，在外面高談闊論男女交往之道，自己的婚姻卻一塌糊塗。自己不能履行的道德，或無法「身體力行」的道理，講出來就是騙人，所以王陽明先生說：「未有學而不行者也。」

《中庸》又說：「唯天下至誠，為能盡其性；能盡其性，則能盡人之性；能盡人之性，則能盡物之性；能盡物之性，則可以贊天地之化育；可以贊天地之化育，則可以與天地參矣。」

「其次致曲，曲能有誠。誠則形，形則著，著則明，明則動，動則變，變則化，唯天下至誠為能化。」

這兩段文字，顯現出「誠」是體，能起「大用」，可以盡物、我、眾生之性，還可以「贊天地之化育，與天地參」，也就是「與天地同功」。

有道君子的行為舉止，沒有不如法、不得體的情形，所以「自反而縮，雖天下人吾往矣！」君子「發而皆中節」，「無入而不自得」，才能「與天地參」。

　　儒家的經典中，曾列舉古代聖哲作為表率，如堯、舜
、禹、湯、文、武。但是，這些先賢因歷史久遠，難以考
證，比較不夠親切，同時，他們都是帝王身分，與一般老
百姓的生活有一段距離。最能彰顯儒家精神的，應首推宋
代文天祥，成仁取義，精神永垂不朽。雖然與他同時代的
學者著書立說，文天祥卻只以一篇〈正氣歌〉傳世，千秋
萬古，令人讀後肅然起敬，為之動容。

覺悟之道，九字入門

　　儒家與佛家的學說，其實有許多共通之處。例如儒家
之「誠」，佛家之「覺」，有異曲同工之妙，都是人格的
自我實現。基本上，所謂「不誠無物」「至誠如神」，可以
預測「善」與「不善」，都與「覺」相通。若將上面《中
庸》的一段文字改動，則完全適用於佛教的「覺」：

　　「覺者，佛之道；覺之者，菩薩道也。覺者，不勉而
中，不思而得，佛也；覺之者，無有疲厭，無有休息，度
化眾生，而能深入一切法門。」

　　儒家是一種人生哲學，子曰：「未能事人，焉能事鬼」
，「未知生，焉知死」，所以儒家學者不言生後事。佛教
是一種宗教哲學，不但談生，也要談死。佛教講三世因果
：「欲知來世果，今生所作是，欲知今世因，前生所作是
。」生死無常，原是難免，自我的昇華，可以作為儲備來

生的資糧，是佛教的信仰。

　　佛教有所謂「十法界」，人之輪迴至善道或是惡道，完全取決於生前之因果：貪婪者為餓鬼；嗔恚者為阿修羅；愚癡者墮畜生；守五戒者生人世；行十善者生天上；通達四聖諦、十二因緣者為緣覺；行六度波羅蜜者為菩薩；萬行完滿是佛。佛家這種因果循環的觀念，帶給中國社會極其深遠的影響。

　　「覺」是佛教的專有名詞，含有「覺察」和「覺悟」兩重意義。「覺」有「自覺、覺他、覺行圓滿」三階段。凡夫不知不覺，羅漢自覺不能覺他，菩薩才能自覺覺他，而唯有佛陀覺行圓滿。若與儒家學理比較，自覺相當於「明明德」，覺他即「親民」，「覺行圓滿」與「止於至善」同功，儒佛彼此互相呼應。要達成「覺」，有三個三字真言，依廣義解釋，可說是一切事業成功之鑰，此九字即——聞思修，信願行，戒定慧。

聞、思、修

　　聞是多看、多聽、多學習，佛家稱為「文字般若」。不斷吸收充分的新知與資訊，充實技術和才能。思是慎思明辨，分析思維，以求融會貫通。修是修「德」，發展健全的人格和道德。

信、願、行

信是「信心」，是成功的基礎。願是志願，建立中心思想與人生目標，所謂「有志者，事竟成」，一曝十寒，則徒勞無功。行是親歷實踐，以百折不撓的精神，失敗了再爬起，則必有所成。

戒、定、慧

戒是止惡防非。定是安頓心靈的根本，禪宗有云：「繫心一處，無事不辨。」慧則是心靈的活水源頭，豐富人生的資糧。

人生的智慧需要開拓，而唯有在澄懷靜慮，心海無波時，智慧才會現前。九字真言乃「自我實踐」的要訣，生命中最重要的是，多愛自己一點，多關心周圍的人，常常生歡喜心，自然事事如意，事事順心。

轉自《大崙山上》第四期

輯二
心語篇

世我浮戒於忍中盡大喜
見太陽紅禪關己入吉祥
地覺樹繁枝吞海叢

馮遜校長　妙峰迪作善畫於紐約

迎向美麗新世紀

繪一個繽紛的未來

我們已經進入了二十一世紀，這是個嶄新的時代，未來如同一片未開拓的荒土，有待你我耕耘；它也像一張白色的畫紙，有待我們以彩色的筆，描繪出繽紛的未來。生長在今天這個時代，眼見世紀交替，是多麼難得啊！

孔子說：「逝者如斯，而未嘗往矣！」時間不會為任何人稍作停留，過去的已經過去，而今天也會變成昨天。李白感嘆的說：「棄我去者昨日之日不可留，亂我心者今日之日多煩憂。」過去的，我們無法改變，即使做了反悔的事情，也不可能讓時光倒流，回到從前。生命的過程是直向的，只有從小孩至少年、青年、老年，從盤古開天地以至如今，還沒有返老還童的事發生。白髮可以染黑，皺紋可以注射肉毒桿菌，但身體仍會隨著年齡而衰老，沒有生命是可以逆轉的，生命既不可以倒帶，也不能夠NG。

人類只能接受現實，把握現在，經營當下，讓我們踏出去的每一步，都是紮紮實實，合情、合理、合法，對自

己的生命負責，不要留下任何遺憾。因此，審慎思維規劃，如同一位藝術家在落筆前，必須先行草擬圖案，我們也要胸有成竹，雖然未來是一片空白，也要照著構思審慎落筆，美好潔淨的環境，是我們這一代留給子孫最好的禮物。

古今聖賢都會為人類的福祉，作出一些企盼，例如儒家思想中的「大同世界」裡：「讓老年人有尊嚴的嚥下最後一口氣，讓中年人、壯年人都有理想的工作，讓青少年有受教育的機會，沒有親屬的孤寡老人也得到照顧，沒有父母的孤兒也能健康快樂的成長。男人有男人的責任，女人有女人的歸屬，貨物，不能輕易隨便丟棄，不必是為了留給自己，有力氣應當使用出來，不必是為了自己，如此一來，爾虞我詐的手段都可以收起來了，夜晚不必關閉門戶，因為盜賊絕跡了，這就是大同世界。」人類都有夢想，世界上每一種宗教，都會許諾人們一個天堂。

讓人類免於戰亂

今天傳媒發達，全球的新聞報導中，災難意外幾乎無日無之，道德如江河日下，治安更是每下愈況，使人充滿了無奈與無力感。在二十一世紀之初，二〇〇一年的九月十一日發生了有史以來不曾有過的恐怖，震撼了全球，一架客機穿過紐約世貿雙子星大廈，大樓隨之倒塌，有人在

吶喊，有人自高樓墮下，數千生命傾刻消失在煙霧中，那
是一幕驚心動魄的畫面，此一事件，導致美軍入侵阿富汗
，目的在消滅恐怖份子，於是塔利班政權垮了，但賓拉登
卻仍在世間，美國又擬攻打伊拉克，強權國家以戰爭作為
解決問題的方法，其實並不是一件好事。此刻，在世界許
多陰暗的角落裡，生命隨時受到死亡的威脅，天災、人禍
和戰亂，奪走財產和生命，也奪走了人類的尊嚴。

　　我們何其幸運，生活在沒有戰爭的台灣，只要兩岸政
局安定，即可避免槍林彈雨的威脅，年輕人無法想像哀鴻
遍野的慘痛。然而翻開歷史，我們應該清楚，不論人類文
明如何演進，每個時代，每個國家都曾發生過戰爭。權謀
者對於意識形態的執著，會喪失理智，野心家的判斷更不
是為人類謀福祉，而是擴張他個人的權勢。少數瘋狂者是
亂源，他們一念之間的決策，可能引發戰爭和人類的劫難
，就像是不定時的炸彈。

　　我們目睹波灣戰爭，塞爾維亞、克羅埃西亞的戰爭，
以色列與巴勒斯坦間的衝突，諷刺的是，導致戰爭的原因
，竟是理應勸人向善、追求人類福祉的宗教徒。當然，宗
教的本質絕非如此，《聖經》說：「愛你的鄰人」，「有
人打你的左臉，就讓右臉給他打。」信仰宗教而不依照經
典的訓示生活是不夠的，宗教明明是反暴力，反仇恨，但
是人卻經常反其道而行。

　　台灣信仰佛道的人較多，佛經裡沒有「聖戰」這個名詞。所有戰爭都是殘酷的，應為文明人所唾棄。過去迦毗羅衛國受到侵略，佛陀只能盡量阻止戰爭發生，可是由於宿世的業緣，連佛陀的努力也不能讓他的祖國倖免於難。今天台灣雖然未有戰事發生，但是和平卻仍須靠兩岸政府的智慧維繫。此外，社會治安敗壞，兇殺案層出不窮，而犀利的言語暴力充斥國會、網路、甚至校園，一樣可以傷人。

　　在二十一世紀之初，讓我們祈求，人類免於戰爭與暴亂。

讓人類永離災難

　　九二一地牛翻身造成本島兩千餘人死亡，我們領略到天災的可怕，波及的災民數以萬計，我們也稱得上劫後餘生，理當感恩惜福，由天災去反省人命的脆弱無常。那個凌晨，彷彿世界末日，一剎那間，一切化為子虛烏有。近年來各國亦見天災頻仍，非人力可以阻擋。

　　在二十一世紀之初，讓我們祈求，人類免於災難。

　　即使太平盛世，這兩年來又遇到經濟不景氣，許多人被裁員失業，孤兒寡母，老弱殘疾者，連基本生活都要擔心發愁，身患重病的更是苦不堪言。我總覺得全民的溫飽，居住的空間，健康醫療保險，是政府必須負擔的職責和義務，也是國民應享的權利！

　　隨著生物科學的研究，醫學的進步，DNA的解碼，人

的壽命愈活愈長，研究基因結構，進而可以解決全球糧食不足的問題，特殊疾病的新藥也不斷被研究出來，減輕了病人的痛苦。二十一世紀的人們，在盡情享受科技帶來物質生活上的便捷，但是貧窮國家的人們，對於這些優秀的醫藥科技，卻是聞所未聞，無權享受的。

在二十一世紀之初，讓我們祈求不分種族，共享健康、長壽、均富的生活。

讓人類擁有幸福與平安

即使擁有健康與財富，人也不一定活得快樂，物質充裕後，人們期盼心靈充實的生活。在家庭裡，父慈子孝，夫唱婦隨，事業順利，生活穩定，個個健康，是幸福的基本條件。除上以外，作為社會動物，一個家庭美滿還不夠，生活環境同樣重要，因此善良的社會風氣，風調雨順，國泰民安，也都是優質生活的必備條件。每一個人與他生長的環境都有密不可分的關係，培養良好的人際關係，美化社區的生活環境，「人人為我，我為人人」才是幸福的保障。

在二十一世紀之初，讓我們祈求人類生活優質化，並以道德倫理作為心靈導航。

今天的環境，是先人用心完成的作品，他們盡了歷史責任。現在的時空是屬於我們的，要過好日子，必須精誠

合作、群策群力，掌握機會，加強改革。

　　這幾年來，台灣政治陷入喧囂焦躁、紛擾不安中，失業率、痛苦指數、自殺率與憂鬱症都創下歷史新高。

　　所謂「種什麼因，得什麼果」，如果在一片土地上埋下動盪不安的種子，所得的當然是痛苦的果實。小孩子自幼看慣窮兇極惡、打打殺殺的場面，長大後怎麼可能行為端莊、彬彬有禮呢？生活在同一條船上，命運把我們牽在一起，所謂「生命共同體」，就是佛家所謂的「共業」，這一份緣，我們應該珍惜。大眾齊心協力，開拓一片人間淨土，散播尊重、誠心、善意、包容、團結、禮讓、和平的種子，當收成季節來臨時，就是我們共享幸福的日子。

　　古人說：「一日之計在於晨，一年之計在於春，一生之計在於勤。」新世紀是耕耘的時節，我們應有充分的準備，實踐全民的理想，創造一個美好的將來。不但要創造「非核家園」，同時也要「無污染家園」、「非暴力家園」、「富而好禮的家園」。在世紀之初，讓我們展望未來，懷抱著樂觀的心情，勤懇耕耘，等待明天。

他山之石，可以攻錯

　　沒有農夫的流汗播種，就不會有秋季的豐收，過去台灣數十年的努力，贏得了今天經濟繁榮和社會富饒。台灣的建樹有賴全民努力，也仰賴政府領導成功。民國五十年

代時，台灣生活比較窮苦，但是社會治安良好，老百姓勤勞認真，一天工作十幾小時，是常態的情形。大學生用功讀書，發奮圖強，不像現在大多數青年，生活中就是崇拜歌星偶像，迷戀日本漫畫，沉迷於卡拉OK、PUB和網咖。

　　當年的台大校園，每天早上六點鐘，到處是帶著耳機學英文的同學。大學生畢業留學，都是憑成績申請獎學金，或是靠打工賺取學費，極少數人會依靠父母。當年許多僑居地的同學，家境也比本地生富有。記得有位機械系的越南同學，經常收到家裡寄來的包裹，裡面都是當時台灣少有的舶來品，各種cheese和西餅蛋糕，他總拿出來與我們分享。曾幾何時，七十年代一場越戰，搞得民生疲憊，戰後經濟頓時陷入困境，到如今還好不起來。

　　再拿菲律賓為例，早年是亞洲富有的強國之一，但是經過政變後，國力大幅滑落，如今連大學畢業生，都要到香港台灣來當幫傭。五十年代初期的大陸，與台灣具有同樣的競爭力，連年政爭和文革，使教育、研究、經濟發展，通通掉進了谷底，直到改革開放後才重新站起來。

　　政治掛帥會產生不同的意識形態，見解不同的人互不相讓，造成僵局而爭執不休，翻開歷史盡是前車之鑑。民主不尊重法治，不講求理性溝通，不重視正義公理，只會演變成分裂的局面。如今台灣政黨林立，為了樹立特色，塑造專屬自己的信念，以招攬更多同志，以致未能全然考慮

到國家的整體利益。這種趨勢愈強烈，造成的裂痕愈大。例如今天立法院裡遇到任何問題，各政黨都互不讓步，爭吵不休，造成民生法案、教育法案的擱置，這種社會成本必須由全民負擔，造成普遍競爭力削減，也影響到經濟衰退。

幸福家園，永續經營

所謂「民主」，從字面上解釋，是人人做主人，其實一般老百姓只要安居樂業的生活，政治的事不必太過介入。況且，政治也是一門專業，就像醫生、律師、教育家、社會家一樣，不是人人能懂，也不需人人參與。老百姓的時間和精力有限，不可能透視一切事實的真相，而政客卻可以輕易利用媒體粉飾太平，作出有利於他本身的宣導，使民眾只看到部分的真實。

今天的台灣，既已走上民主這條不歸路，就該健全民主制度的體質。否則「老百姓在選舉前是主人，選舉後就淪為奴隸」了。為了避免爭端，健全國本，目前我們應盡量淡化政治的議題，加強教育、文化、經濟、環保等實質有利民生的基礎。這十餘年來的台灣太政治了，每年選舉，勞民傷財。「打造美好新台灣」不應當是個口號，需要腳踏實地朝著這個方向走。

人的壽命充其量百年歲月而已，老百姓要的不多，只

是和諧、安定、優質、富裕的生活。當年蔣經國先生十大建設讓經濟起飛，就是政府重視經濟發展所致。人文素養的基礎是道德倫理，所以美化社區，禮敬互惠的生活品質，才是優質社會的保障。

打造美好的家園人人有責，為我們深愛的土地，盡一份心力，創造一個沒有污染的空間，要重視環境教育，竭盡心力去維護生存的空間。人與自然是一體的，大自然潤育我們，我們沒有任何理由可以傷害它，所以宣導環保觀念，快速美化家園，是人人可以做到的，從愛物惜物、簡樸生活，至減少垃圾，使用環保袋、環保碗筷，回收資源，綠化社區，做到人人有共識，家家做環保，才可保「青山常在，綠水常流」。

再談到文化建設，舉辦音樂會、書畫展覽、戲曲舞蹈等藝文活動，能陶冶性情，提高生活品質。為了培養民眾的興趣，多推廣各種藝文活動，使人人具備藝術欣賞力，如此，民眾的氣質和品味自然會隨之提高。

為了實現美好夢想及打造美麗家園，教育是最重要的關鍵。社會的亂象，是由於「心」的迷失。因此在打造科技島、再創經濟奇蹟的同時，人文素質的相對提昇，是非常重要的課題。鼓勵善良風氣，加強社會治安，使百姓免於暴力與恐懼，教育的加強應重於一切，強化法治與倫理教育，配合宗教淨化心靈的功能，還要有正確的教育決策，

才是國家長遠發展的根本。教育是百年大計，無法立竿見影，必須循序漸進。只要我們懂得謙讓、正心、誠意，言行合乎禮義，意見多與人溝通，彼此尊重，愛惜資源，重視環保，以公益、公利和公德心為優先，夢，遲早會有實現的一天。

二〇〇一年三月十五日講於龍潭鄉公所

心智潛能的開拓

　　人生在世，彷彿潮起潮落，會隨著時間空間的異動，而產生各式各樣的變化，有生老病死之變，有學業、事業之變，有家庭結構之變，有環境異動之變，也有隨著自己心意而作出的各種改變，大至國家社會，小至家庭個人，我們置身於動態的變動中，追求動態中的平衡，以及最適合我們所期待的圓融。這是一門學問，要靠經驗，更要靠智慧。人人都有一顆追求完美向善的心，即使好還要更好，沒有人天生自甘墮落，每個人都希望擁有健康、快樂、幸福和智慧的人生，使動態中的變化愈趨完美，尤其是做大事的人，更需要智慧來完成大業，智慧是力量的泉源，唯有面對困難，處變不驚，承擔重任，戰勝難關，才能獲得最後的成功。

人類智能還有百分之九十二待開發

　　近年來，我們都能接受，智慧不只是會念書、學問好、事業成功、口齒伶俐、思維敏捷。在日常生活中，我們常會發現許多大智若愚的例子。哈佛大學的嘉德納（

Gardner）教授提倡「多元智能論」，如今已受到普遍的重視，他提出七種智能，即語言智能、邏輯數學智能、音樂智能、空間智能、身體動覺智能、人際關係智能，和自我認知智能。國內學者亦常提到四個Q：即IQ，智力智商（Intelligence Quotient）；EQ，情緒智商（Emotional Quotient）；MQ，道德智商（Moral Quotient）；和SQ，心靈智商（Spiritual Quotient）。從而可知，人的智慧潛能是多方面的，每種智能都對我們做人做事的成敗，有著絕對的影響力。

每個人的成長環境不同，思維模式也不一樣。同一句話、同一件事，可以獲得某些人歡喜，也可能招致另一些人生氣。生活在民主時代，人人都有自己的立場、看法和主張，當大家意見不一致時，少數應服從多數，多數應尊重少數，理性和包容是民主的前題，不能遇到不中聽的話就發脾氣，對現代人而言，情緒管理是十分重要的事。在今天這個時代，我們不可能讓人人喜歡，個個滿意，只要是讓正義公理得以伸張、不昧良心的事，就可以放心大膽去做。

人的心智與潛能是可以自我開拓的，例如培養一種嗜好、讀一本好書、參加研討會、種種花、學習繪畫、語言、和樂器，都可以讓情緒放鬆下來，心靈得到澄淨，就是為培養智慧製造一個好環境。

根據醫學報告，人類的潛力只用了一小部分，大約只

有百分之八，還有百分之九十二的空間，可以開發。《人生四季之美》的作者日野原重明醫師說：「人的一生不可能用完整個大腦，大腦也不可能像打滿字而毫無空隙的白紙。大腦裡尚有空行白紙，還可以打上無限多的字。」這句話是很有道理的，例如常常慣用左腦思考、計算、策劃的人，可以開發右腦感性、文學、藝術的潛力。而慣用右腦的人，也可嘗試開拓邏輯思維的左腦，這樣能使左右腦的發展更均衡，而達互通互補之效。

鍛練大腦最好的辦法就是多用腦

大腦需要多鍛練，否則反應會變得遲鈍，漸漸人也會變得癡呆。鍛練大腦最好的辦法就是多用腦，遇到任何困難都不要放棄，盡一切能力去尋找解決的方法。日野原重明醫師提出：「人若常將大腦用在新的事物上，細胞就會連接成新的神經傳導線路，而這種神經傳導線路愈多的人，愈能有效使用大腦。」至於如何提高腦力呢？我認為多讀書、多思考、多研討、多旅行、配合健康的飲食和適當的運動，都是不錯的方法：

一、多讀書

書是前人留下的智慧結晶，讀書可以提高知能。在閱讀中，分享作者經驗與智慧的同時，也會激盪起我們腦內

的迴響。當作者與讀者心靈交會的剎那，智慧火花於焉產生。

二、多思維

　　大腦不斷在動，沒有一刻停歇，年輕人喜歡做白日夢，老年人也偏愛回憶往事。有些人終日胡思亂想，腦子裡雜亂無章，這就等於是浪費生命，長此以往，會導致思想錯亂、行為偏差。理性思考和邏輯分析是需要培養的，漸漸訓練可以增加我們的智慧和辦事能力。

三、多研討

　　與朋友或工作伙伴，針對各種不同的問題，加以研究探討，尋求解決之道，並隨時吸收別人的經驗智慧，是腦力激盪最好的方法。

四、多旅行

　　人在不同的時空下，腦子最敏捷。大自然提供新鮮空氣，使大腦裡氧氣充足。同時新的環境和事物，能刺激人的創造力，尤其身處異鄉異土時，人的潛能更會因境而生。古人說：「行萬里路，讀萬卷書」，就是這個道理。

五、健康的飲食

醫學早有證明，均衡營養的滋補，對人體智力有莫大的助益。反之，抽煙酗酒、毒品大麻，卻會刺激腦部的機能，使人變得遲鈍癡呆。

六、適度的運動

運動增加人的肺活量，促進血液循環，增加腦部氧含量，使腦細胞變得活躍健康。

人類具有追尋自我實踐的本能，馬斯洛（Maslow）博士將動物需求分作五種：生理的需求，安全的需求，愛和隸屬的需求，尊重的需求，和自我人格的實踐。最崇高的理想，是心靈境界之提昇，偉大人格的完成，為人類社會奉獻一己之力，相當於生命的延伸。

人類最高的智慧，是自我的認識和了解，然後接受自我，接受屬於我的獨特人生，掌握有利自己發展的條件和機會，充實成功所需的資源，不斷努力求進步，創造機會，把握機會，踏實規劃幸福的人生。《腦內革命》的作者春山茂雄是一位醫師，他認為：「每一個人的先天腦中，都沉睡著某種優越的才能，只要能夠把這項才能引導出來，每個人都可以成為獨當一面的天才。」

有許多人對自己、家庭、生活、工作樣樣不滿意，常常怨天尤人，彷彿全天下人都對不起他，卻不懂得自我反

省，他們情緒上好像有宣洩不完的憤慨鬱結，這種人彷彿不定時的炸彈，為著一點小事，與人爭吵不休，把自己和別人的情緒搞得一團糟。當別人事過境遷，心境早已恢復平靜後，而他卻仍然停留在過去紛擾的時空。

人人心中都有如佛陀一般的妙智慧

有智慧的人，一言一行可以化干戈為玉帛，可以安邦定國。最高的智慧，佛教稱之為「般若」（prajna），漢譯為妙智慧，不是世俗凡夫的智慧，也並非二乘羅漢的空慧，是佛菩薩證悟至高無上的智慧。《法華經譬喻品》云：「勤修精進，求一切智、佛智、自然智、無師智。」就是指這種人人本具、不假外求的妙智慧。

佛教認為「般若」是與生俱來的瑰寶，只因人性的貪、嗔、癡，執著人我是非，導致思緒雜亂，彷彿烏雲蔽日，「般若」因此不能顯現。世間許多「一念之差」的罪行，都是來自貪、嗔、癡，若能化解無知愚昧，就是「化煩惱為菩提」，也稱為「轉識成智」，「轉」，「化」全靠心，也靠修行者對於生命的體驗與覺悟。

釋迦佛說法四十九年，其中二十二年專講《大般若經》，可見佛陀對於智慧的重視。根據《金剛經》所述，「般若」有三種，文字般若，觀照般若，和實相般若。「金剛」是一種寶石，具有至明、至利、至堅三種特質，故以金剛

的三特質比喻三種般若。金剛的表相光明，比喻文字易說易懂；金剛的功能鋒利，比喻觀照般若，能勘破無明煩惱；金剛的本體堅固，比喻實相般若堅定不易。

　　語言文字是溝通的橋梁，如讀書、聽講、電話、傳真，都是語言文字，借著良師益友的智慧經驗，豐富自己的知能，加強思考創造的空間，因此，語言文字稱得上是智慧的泉源。

　　觀照般若能啟發內心的寶藏，透過反觀內照，理性思維，可以開拓智慧潛能。「觀照」如同在心中點上一盞明燈，黑暗愚昧頓時消滅無蹤。至於實相般若，是心靈淨化後的大自在，覺悟人生真諦的最高境界。

　　西方醫學肯定人的潛力無窮，東方哲學也證明人類智慧有如一座寶藏。當年悉達多太子在菩提樹下沉思靜坐，夜睹明星豁然開悟：「奇哉！奇哉！一切眾生，皆有如來智慧德相，唯以妄想執著，不能證得。」人人心中都具有如佛陀一樣的妙智慧，如同光芒萬丈的明珠，可惜煩惱雜念太多，好比明珠蒙塵。若能淨化心靈，勤修戒定慧，掃除煩惱塵勞，則般若妙慧自然會顯露出光明來。

　　禪師云：「心田不長無明草，覺苑常開智慧花。」生活中所遭受的壓力、挫折、困頓和苦惱，種植心中，如同雜草遍布叢生，若能揮動鋤頭，斬除野草，再施以佛法的水分和養料，則智慧之花必會綻放。智慧又如源頭活水，

在沒有障礙的環境下，自心中涓流不息，若有煩惱壓力塞在心頭，就如同一塊大石頭塞住水源，智慧水就流不出來了。

般若智慧是人生的導航，依循它可以度過安詳圓滿的一生。有智慧的人，看待事情會從多角度思考衡量，遇到不如意的事，也都會朝正面思考，抽絲剝繭，化解煩惱。另一些人，卻會隨著外界環境影響，情緒忽而高亢、忽而低迷，激烈的心情變化無常。其實，煩惱解決不了問題，因此何妨從生活中找尋喜悅，書法家王北岳說：「生歡喜心無不如意。」歡喜心會影響大腦，使腦部產生一種名叫內啡肽的荷爾蒙，春山茂雄先生稱之為腦內嗎啡，會提高人的免疫力，使腦波呈現穩定的 α 波，心境因此會變得更喜悅和安詳。

佛教的多元智慧

佛經中也有「多元智慧」，凡聖不同。《攝大乘論》中菩薩的五種智慧，是通達智，隨念智，安立智，和合智，如意智。具有此五種大智慧，能解決各種問題。

一、通達智

佛法不壞世間法，在融通世間法後，即可彰顯生命的真諦。《華嚴經》云：「菩薩入世，當向五明處求。」所

謂五明，即因明（邏輯學）、內明（宗教學）、聲明（語言文字學）、工巧明（工務技術學）、醫方明（醫事護理學）等。發願度眾生的菩薩，必須走入人群，熟悉他們的工作和語言，才能取得良好的互動與溝通。

二、隨念智

就是記憶力，能憶持過去事而不忘失，這也是智慧的一種。過去的大德博學多聞，通諸經論，讀書過目不忘。若是思想昏沉，或患失憶症者，對剛發生過的事，就會忘記得一乾二淨。

三、安立智

建立典章制度，讓人行止能有所依從。世間法中，如國家憲法和各種法規。例如，交通有規則，校有校規，宗教有戒律，皆前人古德所定，如此國家社會才能長治久安。

四、和合智

菩薩有正確的人生觀，了解一切法隨緣和合，因此對於世間的種種，不執著、不強求，與世無爭，心安理得。

五、如意智

儒家云：「自反而縮，雖天下人吾往矣！」就是一種

隨遇而安，隨緣而止，隨意所欲，無入而不自在的心境。

　　法相宗提出佛的智慧有四種：即大圓鏡智、平等性智、妙觀察智、成所作智（加上密宗法界體性智，則稱為五智）。佛教將人的分辨能力稱為「識」，共有八種稱為八識，即眼識、耳識、鼻識、舌識、身識、意識、末那識、阿賴耶識，上述四種智慧是由八識轉化而來的。

一、成所作智

　　人的眼、耳、鼻、舌、身五種器官，由於接觸色、聲、香、味、觸五種塵境而產生五識，謂見、聞、嗅、嘗、覺。眼見色產生眼識，名為見；耳聞聲產生耳識，名為聞；鼻嗅香產生鼻識，名為嗅；舌嘗味產生舌識，名為嘗；身與物觸產生身識，名為覺。依此五識，可獲得世界上一切資訊。無智者則見而不視，聽而不聞，食而不識其味……。有智者能洞悉世間種種，由該五識轉化為「成所作智」，可以產生「正見」。

二、妙觀察智

　　凡夫之第六識稱為意識，觸境生情、分析辨別，由意識轉化為妙觀察智，則能產生「正思維」。

三、平等性智

第七末那識是人性中的執著，對外在物質世界執著，也執著於內在有「我」，因此自私自利，煩惱叢生。若能了知眾生平等，則轉成「平等性智」而不起分別心。

四、大圓鏡智

阿賴耶識是第八識，又稱為藏識，含藏所有身、語、意三業，若能修證圓融無礙的智慧，則轉化為大圓鏡智。

每天死一次，每天再重生

現代人生活忙碌，如何開拓心中智慧，可以從靈修、環境、生活層面重新調整：

一、宗教的靈修

鍛練心智潛能的方法，從聞、思、修入門。「聞」是聽聞道理，研究經典。「思」是將獲得的知識，加以融化吸收。「修」是從實踐中體會智慧真理。至於修習的方法，佛教以「戒」和「定」並重，來達到開拓「智慧」的目的。

人需要自律和節制，而「戒」是生活、言行、思想的「道德」規尺。現在有許多人口口聲聲要顛覆傳統，想擺脫道德的「束縛」，只會造成社會上更多的紛爭和動亂，著

實令人擔心。

　　有了「戒」，人的言行就會中規中矩，心也較容易安定澄清，神閒氣定。心中有「信仰」，做事有準則，遇事才不致大驚小怪，慌張失措。由於「一心不亂」產生的「定」力，才能從容不迫的處理危機。修習禪定首先要把心「淨」下來，所謂「澄懷靜慮」，唯有心海無瀾，水清如鏡時，般若智慧才會顯現。

二、環境的影響

　　自然環境對智慧的陶冶和潛力的開發，有著絕對的影響。故古人提出「師法自然」。蘇東坡居士詩曰：「溪聲盡是廣長舌，山色無非清淨身。」聽聽大自然說些什麼？「仁者樂山，智者樂水」，古德修習禪定，素來選擇山居，山勢崇高雄峻，沉著負重，仰之彌高。海洋深邃莫測，廣闊無邊，可納百川，所以說「智慧如海」。

三、結交益友

　　除了自然環境能洗滌心靈外，與善友交，見賢思齊，可以長智益德。所謂「友直、友諒、友多聞」，朋友對於人生的影響太重要了。

四、生活品質的提昇

　　培養藝術欣賞的能力，豐富生活的內涵。現代人在汲汲營營中，甚少考慮到生活的品質。孔子曾經讚美顏回說：「賢哉，回也！一簞食，一瓢飲，在陋巷，人不堪其憂，回也不改其樂。」顏回重視精神生活的富裕，這種來自高貴心靈的恬逸和自在，實在是不可多得。

五、建立人生宗旨與目標

　　「從何處來？往何處去？」是古今聖賢對生命的疑問。人，要了解生命，才會熱愛生命，懂得生命的意義，才會肯定存在的價值。所以人活著，應該有信仰，有奮鬥的目標，一步一步實踐自己的理念。社會上有許多人，沒有宗教信仰、也沒有特別的興趣和嗜好，晚年剩下的唯有寂寞與孤獨。

六、服務利他的人生

　　英國文學家但尼生（Tennyson）曾說：「I am a part of all that I met.」人是群居的社會動物。今天的你，是過去你所遇到的人，包括親友師長共同塑造而成的。一個孤獨的人，無法彰顯他存在的價值。人生在世，若能為他人謀福利，才不愧此生，當史懷哲將其一生奉獻給非洲時，他仍心懷感恩，因為他有造福眾生的能力與機會。服務利他就

是宗教精神，也是人類最偉大可貴的情操。

七、終生學習的規劃

　　人只有透過不斷學習，來開發無限的潛能。所謂：「苟日新，日日新，又日新。」西方人亦有：「Die daily」，每天死一次，每天再重生，用新的思想和態度面對人生。唯有不斷的充實自己，改變自己，才能永遠站在時代的最前端。在瞬息萬變中，掌握住變中的不變，心中擁有堅定的信仰，人生必然過得多彩多姿，充滿智慧和生命力。

　　在此多元化的社會，人心浮動不安。如何建立一個有意義的人生觀，是年輕朋友應該思考的問題。唯有智慧力，慈悲心，可以讓你臨危不亂、沉雄穩健的面對挑戰，活出勇敢和堅定，平安與幸福的人生。退則能維護親人間和樂融洽，進還可以造福社會人類，創造豐功偉業，青史留名。

　　　　轉自一九九九年八月二十八日及二十九日《中央日報副刊》

般若妙慧與人生

愚者生存，智者生活

在我正式進入講題以前，我想請教各位一個問題：在財富、健康、與智慧三者之間，假如只容許你選兩樣，你會如何抉擇呢？假如你只能選一樣，你將選擇的又是那一項？

古哲有云：「愚者生存，智者生活。」生存與生活是很不相同的，例如一隻狗，或是一隻貓，甚至蚊子蒼蠅，也是一樣的「生存」，有著動物本能的生理需求。至於「生活」，則是有格調、有尊嚴的生命，只有萬物之靈的人類才有權享有它。自從娘胎呱呱落地，我們便注定要孤獨的過一生，雖然人的前半生有父母兄弟，後半輩子有妻子兒女，但是每個人仍然是單獨的個體，不僅止饑寒病苦不能替代，心情的喜怒哀樂也不可能真正與人分享。尤其是生老病死無人倖免，所以佛陀在鹿野苑初轉法輪時，就明白點出人生是苦的。但同時，慈悲的佛陀也指引我們，如何才能離苦得樂，如何化煩惱為菩提。

雖然說：「人生不如意十之八九」，常是「有時風雨有時晴」，非人力所能改變。然而我們可以培植內能，和「般若妙慧」，掌握自己的心，開拓智慧的寶藏，改變自己的命運，開創美麗、莊嚴、幸福、快樂的新人生。

英諺有云：「Life is too soft, without rubs in it.」。孔老夫子有位門生，名字叫作顏回，孔子曾經讚美他說：「賢哉，回也！一簞食，一瓢飲，在陋巷，人不堪其憂，回也不改其樂。」顏回的樂，不在於錦衣玉食，也不在高堂華廈，而在於生活的內涵，這種樂，是來自高貴心靈的恬逸和自在，多麼讓人景仰，多麼令人羨慕。

人的一生當中，難免會經歷許多挫折和磨難，然而人的生命中，有責任也有義務。每一個生命都有它存在的價值和意義。

每個人都有一生，有人青史留名，也有人萬年遺臭。如何規劃自己的一生，一步一腳印，走出俯仰無愧的一生。生活是嚴肅的，但不必刻板。生活可以美化，人人都可以成為生活的藝術家，化腐朽為神奇，不一定要創造豐功偉業，只須運用「智慧」，為生命塗上光鮮的色彩，你便是生命的主人。

我有一位朋友，在學校門前，擺個小食攤賣水餃。有一天，他聽到「為善最樂」的道理，就捐了一袋血。突然間，感到心中踏實和暢快無比，覺得自己做了件很有意義

的事情，也肯定了自己生命的價值。

業力遮障，智慧消融

英諺有云：「Happiness is a shy bird, if you don't catch it, it flies away from you.」這隻害羞的小鳥，就是佛家所講的「機」，這個「機」字，妙不可言，佛家有所謂「研機」，禪宗也常說「契機」，機是機緣、機會或者時機，機指的也正是「當下一念」。

有些人的一生，明明不愁吃不愁穿，卻偏偏活得不痛快，喜歡吹毛求疵，自尋煩惱。其實是「庸人自擾」，也可說是「愚癡」。但是愚癡是可以化解的，就要靠智慧。智慧是需要培養的。千萬不要說：「我生來就是這樣，改不了。」然而，根據佛家的說法，我們今生並不是首次為人。每個人都是帶著往昔的「業」，來到人世。其中有「白業」也有「黑業」。白業牽引我們向善，而黑業牽引我們作惡。「業」是一股力量，是生生世世所累積的習氣薰染而成，如果沒有一股很大的「智慧」力相與抗衡，人就只有被它牽著鼻子走，甚至墮入深淵無法自拔。例如許多犯罪的人，一錯再錯，不改惡習，繼續為非作歹，就是因為「業障深重」，又沒有遇到善知識，勸導他改過遷善。只得一再沉淪下去，他自己很痛苦，甚至自暴自棄，卻不知放下屠刀，懸崖勒馬，痛改前非。就好像患了毒害的癮

君子，想戒都戒不了，真令人為之嘆息！

人生的旅程中，需要光明，人人心中有個燈塔，也有般若妙智慧，引領著人生的方向，猶如領航人手中的指南。朱熹有詩云：「半畝方塘一鑑開，天光雲影共徘徊，問渠那得清如許，唯有源頭活水來。」「般若妙智慧」如同燈塔、指南，亦好比源頭活水，涓流不息；「般若妙智慧」是一座取之不盡、用之不竭的寶藏。

般若妙慧，掃盪無明

「般若」是一把鎖匙，能開啟你我心靈之窗，看得高遠，而茅塞頓開。「般若」是一把掃帚，能掃除心頭的愚昧，「般若」是一盞明燈，照亮我們心中的黑暗，如貪、嗔、癡。

若有般若智，天下本無事，萬物皆自得，心法悉如是。

「般若」是妙智慧，梵文prajna，原是「人人本俱，個個不無」的。但是凡夫心與佛心不同，佛的智慧如朗朗乾坤、光芒萬丈，普照世間一切眾生。而凡夫心中充滿貪、嗔、癡、慢、疑、煩惱、無明、雜念、妄想，就像烏雲蔽日，把心中的太陽（般若）光芒遮住了。所以要刮大風，發大心，把烏雲吹散，徹徹底底的讓心智重露光輝。

般若有三種，即文字般若、觀照般若、和實相般若。

文字是「相」，觀照是「用」，實相是「體」。般若智慧從那裡開始培養？需打「文字」入，所以天台宗提倡「經藏禪」。以觀心為法門，修證實相。初心者更需以戒、定、慧為起修點。

　　無規矩不能成方圓，今天社會的亂，就是因為沒有次序，不重視法治，許多青少年膽大妄為：「只要我喜歡，有什麼不可以」。一個進步的國家，有制度的國家，人民守法守禮。而「法」與「禮」都是一些規範。佛家講戒，有五戒、十戒、菩薩戒、比丘戒、比丘尼戒，許許多多戒，為的是什麼？

　　有人喜歡引用《壇經》句子云：「心平何需持戒，氣直那用修禪。」可是卻忘記了我們不是六祖，千年來我國也只有一位六祖。「心不平，氣不直」的，所以凡夫需要持戒修禪。

　　「戒」是為了「止惡防非」。久而久之即養成習慣，守而無守，身心自在。加上習禪功夫，心如皎月，如明鏡般，清清白白，明明朗朗，而般若智慧自然心中顯現。

　　儒家說：「知止而後有定，定而後能靜，靜而後能安，安而後能慮，慮而後能得。」

　　培養般若智慧，要靠禪定功夫，我們拜師學禪需要審慎，要有正見定見，不要貪求靈驗神蹟，自家珍寶只有靠自己尋找。佛陀最愛的堂弟阿難，佛陀身邊的侍者，聽聞

佛法的機會最多，被稱作「多聞第一」，卻不能證入佛果。而慈悲的佛陀不曾賜予阿難一個證悟。現今有許多所謂的「禪師」，替人點一點，卻誆言可以開悟。請問：「佛陀不能做到的，現代的人可能辦得到嗎？」

佛教以治心為本，徹底探討人生的基本問題，解決人生煩惱根源。天台宗以止觀之學，修習般若禪定，是由「文字」般若而起「觀照」，由「觀照」而證「實相」之不二法門。

天台止觀，具緣導引

智者大師在《小止觀》提出：「止是伏結之初門，觀是斷惑之正要。止則愛養心識之善資，觀則策發神解之妙術。止是禪定之勝因，觀是智慧的由藉。」

由「止觀」修禪定及智慧。如何起修呢？我們應將佛法運用於日常生活中，做什麼事都專心一意，遇事情冷靜理智分析，就是「心無二用」，吃是吃，睡是睡，運水挑柴，無非佛法。所以說：「行也禪，坐也禪，行住坐臥體安然。」許多現代人的憂鬱症、焦躁煩惱毛病，都是來自於一心多用，胡思亂想的結果。

天台宗是行解並重的，提倡從經文中契入佛心。如六祖慧能聽到：「應無所住，而生其心」而有所悟，智者大師讀誦《法華經藥王菩薩品》：「是真精進，是名真法供

養如來。」即契入法華三昧。

　　修「止觀」需具「十緣」，好比接引的梯子，引導初心人，一步一步登上去，如果不能身體力行，則如智者大師所說：「如貧人數他財寶，於己何益哉。」

　　所謂十緣，即具緣、訶欲、棄蓋、調和、方便、正修、善發、覺魔、治病和證果，是十個非常具體、可以遵循的步驟。這十個步驟，就像是為修習止觀而暖身，有了這一層的準備功夫，修學實踐，才能將所學習的理論加以融會貫通。就像是學習科技的人一樣，單靠書本上的理論知識是不夠的，無法深切融入貫通，必須從實驗得以證明，然後對學到的知識，才能舉一而反三，甚至求變創新。

　　我們講到由戒可以生定，由定可以發慧。《華嚴經》云：「般若將入畢竟空，絕諸戲論，方便將出畢竟空，嚴土熟生。」般若性空，不是二乘的「頑空」。頑空只有「定」，而沒有「慧」。般若真空能起大用，是「空生大覺」，「覺」什麼呢？「覺有情」。

　　「有情」是凡夫眾生，而「覺有情」就是菩薩，能「自覺覺他」，度化眾生，菩薩「上求佛道，下化眾生。」換句話說，凡有般若智慧者，皆是菩薩，菩薩是具大悲心者，不單自覺，還能「覺有情」。

悲智雙運，妙覺之功

佛教徒信佛的最終目的，就是信佛所說，學佛所行，行菩薩行，最後終究可成佛道。既然般若空生大覺，所以般若能造就菩薩，不但造就菩薩，還可以成佛，因為「般若是佛母」，三世諸佛，皆自此出。般若妙慧之大用就是大悲心、救世心、度生心、菩薩心。所以佛教的根本教化，就是慈悲與智慧，所謂「悲智雙運」。智是「體」。悲是「用」。如手之兩面，一舉成雙。也就是說，沒有慈悲的智慧，不是般若妙慧，沒有智慧的慈悲，充其量只是婦人之仁。

人生雖然苦，但是我們要認識苦因。才可以進一步轉苦為樂。佛陀教我們「四念處」：「觀身不淨，觀受是苦，觀心無常，觀法無我。」不貪戀執著，就可以獲得大自在。

轉自一九九八年九月五日《中央日報副刊》

心之旅

認識心

　　禪宗有一則相當出名的公案，就是達摩祖師傳法給神光慧可的故事。達摩祖師東來後，棲止在嵩山少林寺，終日面壁，年輕的慧可禪師為了求法，在雪地裡苦候到天明，還以斷臂的方式來表達求道之誠意。達摩祖師知其意志堅定，於是傳授心法。慧可道：「我心不安。」達摩祖師道：「將心來，吾與汝安。」慧可道：「覓心了不可得。」達摩祖師說：「吾已為汝安心竟。」

　　唐朝的德山禪師，挑著一擔自己註解的《青龍疏鈔》，朝著南方龍潭禪師的寺院走去。半途中又饑又渴，見一老婆子在賣芝麻餅，就想買些來點心。老婆子問他：「上座挑的是什麼書？」「《青龍疏鈔》。」「所釋何經？」答道：「《金剛經》。」於是老婆子說：「我今有個關於《金剛經》的問題，你若答得上來，芝麻餅任由你吃去。答不上來，我連賣也不賣給你。」德山禪師一聽，馬上說：「但問無妨。」老婆子說：「《金剛經》云，過去心不可得

，現在心不可得，未來心不可得，請問上座要點的是那個心？」德山禪師無言以對。

我們人人有心，其實並不了解自己的心，也不能掌握自己的心。《楞嚴經》中佛陀向堂弟阿難「七處徵心」，阿難的回答，分別以為心在內、在外、在中間、在明暗、在眼根、隨有、及無著處。可是每當他說出一個處所，佛陀便否定他，並證明那不是心所依止的地方。阿難的心就彷彿像一隻小鳥，停在那裡，都被打起，在那裡都不對。那麼我們的心究竟何在呢？

我們人人有心，每顆心都有知覺，現在醫學昌明，證明思想是用腦的，但是心與腦必然有一定的關係，人若是斷了呼吸，腦也在，心臟也在，卻不能思考了，不能言行了。所以，我們所講的「心」，不是身體內這顆肉團心，也不是大腦，而是一顆明明朗朗的心。我們要了解「心」，才好談「心」。它一會兒上海，一會兒香港，一會兒倫敦，一會兒巴黎。南來北往，不必坐火車飛機，無往而不利，包羅的天地還真廣呢。它時而快樂，時而憂愁，時而感動，時而煩惱，沒有一定的模式和方向。

我們的「心」無形無相，如《心經》中所說：「不生不滅，不垢不淨，不增不減」。對於佛法而言，它的名稱有多種，它叫自性、佛性、真如、實相、妙覺。它不需改革，卻需要開發，因為它是智慧的寶藏，我們稱為「真心」。

　　但是各位都知道，我們經常談到的，有好心和壞心：如慈心、悲心、喜心、捨心、忠心、孝心、仁心、愛心；也有私心、野心、妒心、邪心、惡心、貪心、嗔心、癡心、疑心；這種種心，是由真心所生起，卻不是真心的本體，所以稱之為「妄心」，因為它有生滅無常。「真心」好比海水性質的濕潤柔軟，而「妄心」好比海上的水泡。妄心此起彼落，自生自滅；沒有自性，沒有常性，卻能載舟覆舟。真心是體，妄心是用，離開水泡找不著水性，「真不離妄，妄不離真」，所以要藉妄修真。我們能夠觀察到的，是有生有滅的妄心。若靜坐觀心，無常生滅，妄心當下就會消失蹤影。如果我們能降伏妄心，真心即時顯現。《金剛經》云：「應如是住，如是降伏其心。」儒家說格物致知，明心見性，「去人欲，存天理」，都是同樣的道理。

心與世界

　　「心田不長無明草，覺苑常開智慧花。」所謂雜草，就是指無明、煩惱、貪、嗔、癡，如果讓心田的無明草把養分攝取完了，那麼，我們想培植的智慧、慈悲花就不容易綻放，正如農地裡野草叢生，肥料都被搶走了，農作物就會營養不良，是一樣的道理。

　　現代人的心裡，充滿了私心、野心、妒心、邪心、惡心。因為我們內心的思維，會造成外面的世界，所以當起

心動念，不可不慎。所謂「萬法唯心造」，「境由心生」，或者說：「心生即種種法生，心滅即種種法滅。」這個道理不難明白，例如我們想喝茶，手便去拿杯子了；我們想住房子，鋼筋水泥就會搬動起來了。心裡有一個念頭，手足四肢，眼睛耳朵，都會同時動起來，有一些造作，有一些具體的表現。所以說，「心」是將軍統帥，他的一個指揮，一個命令，就會決定著外間世界的成就與毀滅。例如第二次大戰時，美國羅斯福總統一個命令，原子彈炸向長崎廣島，而史懷哲一念赴非洲，德蕾莎修女一念救貧病，對世界人類產生了莫大的影響。「心」的力量發揮出來，是足以驚天地、泣鬼神的。《維摩詰經》中有云：「心淨即國土淨」，如果我們每一個人的心裡，都是善良和平的，不會去做壞事，那麼，國家社會當然能長治久安了。

我們內心的造作，會影響外界的世間；同樣的，外在的環境，也會影響我們心靈的世界。如今，社會上普遍充斥著紅色、黃色、黑色、和灰色，那是來自暴力、色情、恐懼和絕望。現代人的生活中很難看到和平的綠，森林的樹木常遭受人為砍伐；也看不到寧謐的蔚藍和純淨的白，因為高樓大廈阻擋了我們仰望藍天白雲的視線，耳朵所接觸到的，是喧嘩噪音，機器轟隆隆的響，車輛來來往往呼嘯而過，頭頂上的飛機聲，即使是音樂，也是狂喊狂叫，似乎在宣洩心中的苦悶；聲音的世界，缺乏一份旋律的美感

，忙碌的生活，更剝奪了我們作為一個自由人的基本權利。

人類常常會迷惑於外面的物質世界，而忽略了精神的天地，心靈的貧瘠帶來了許多的問題，如困頓、焦慮、和不安，甚至精神錯亂。因此，所表現出來的，自然也只可能是一種相當粗糙、不穩定、不正常的人格特質，在這種情形下，當然會影響到人際間的關係。如夫妻失和，父子反目，甚至人倫悲劇在所難免，由於人心的不安，造成價值觀的偏差，社會的動盪，以及時代的亂象。所以心不安，世界就不安，世界不安，心就不安，如此惡性循環，就如同雞生蛋，蛋生雞的問題一樣困惑著我們。

英國大文豪狄更斯有一本名著，叫做《雙城記》，第一頁便盡是寫著，這是個怎樣怎樣的時代，僅在此引述一段：「那是個最美好的時代，也是個最惡劣的時代；是個智慧的時代，也是個愚蠢的時代；是個信仰的時代，也是個懷疑的時代；是個光明的季節，也是黑暗的季節；是充滿希望的春天，也是使人絕望的冬天；我們的前途充滿了一切，但什麼也沒有，我們一直走向天堂，也一直走向地獄。」

進入二十一世紀，放眼望去，我們所面臨的問題，比十九世紀的英國更為複雜。所有的問題，都是由於人心出了問題，一切的社會亂象，終歸是心出了毛病，所謂「心病還須心藥醫」，宗教家呼籲我們回歸心靈，找尋一個精

神上的依靠寄託。但是，千萬不可以病急亂投醫，今天身處複雜多變的都市叢林裡，盲目追求的結果，是會吃虧受騙和上當的。數年前台灣的宗教亂象，日本真理教，以及美國的人民教會等，都是利用人性的弱點，蠱惑欺騙，以達到中飽私囊的目的，因此，人類應該理性的，追求一片安詳自在的心靈天空。

收攝六根，淨化心靈

今天的社會亂象頻傳，姦淫、邪盜、綁架、勒索、貪贓枉法，皆是來自心理的不潔淨。如果人人時常淨化心靈，必能家庭和樂、社會安寧。

環境要清潔，人心的塵垢，亦需靠「般若妙智慧」來淨化，恩師 樂果老和尚曾經教誨道：「學習《金剛經》哪，就像是拿著一把掃帚，掃呀掃，清潔溜溜，乾乾淨淨的囉。」為什麼老和尚把《金剛經》比喻成一把掃帚呢？因為《金剛經》是講「般若」思想，「般若」是妙智慧，從「禪定」中產生的，淨化心靈而後「定」，般若性空，當然是淨之至極。「非禪不智，非智不禪」，每天靜坐片刻，久而久之，「般若妙智慧」自然顯露。

今天坊間有許多奇怪的禪，叫人看得眼花撩亂。但禪必有源。禪者，「不思前，不思後，單看現前一念。」現前一念，如何把握？如今末法之世，世道衰微，人心雜念

妄想，煩惱塵勞太多，心力薄弱，單靠「自力」是不夠的。古代的禪師提出了「禪淨雙修」的法門，除了參禪，還要念佛，乘著佛菩薩的悲願，來拉拔我們，也就是「自力他力」兼施，以助長道業，培養定力和智慧。

　　有位哲學系的同學問我：「您難道沒有煩惱嗎？為什麼您看起來，常常那麼安詳自在呢？」我回答那位同學的，只是四句話：「煩惱無法免，直心是道場，轉識終成智，自在且安詳。」我是個平凡人，不可能沒有煩惱，只因為學佛，前後得到　樂果老和尚及　曉雲導師的指引，所以心靈上比較踏實。而且我一向崇尚簡樸，欲望比較少一點，比較能夠自我節制。遇到煩惱的事情時，可以靜下心來，分析一下，謀求解決之道。

　　如今，面處複雜多變的社會，人們會感到無所適從。人的「六根」，也就是眼、耳、鼻、舌、身、意，被「六塵」，就是色、聲、香、味、觸、法所惑，產生見、聞、嗅、嘗、覺、知，這六識就是分別心，念念計較，心就會浮躁不安、無所適從了。

　　我們生下來就有眼睛，眼睛是用來看東西的，但是，我們不能完全相信我們的眼睛；耳朵是用來聽聲音的，但是，我們也不能完全相信我們的耳朵。常常我們所見所聞不一定是正確的事實，例如大衛的魔術表演，是那麼的神奇，卻終究是假的；還有沙漠中的海市蜃樓，或者患有精

神病的人，喝醉酒的人，吃大麻的人，都會因為頭腦不清楚，看到或聽到一些幻覺，那些都不是真實的。今日科技發達，電子多媒體及攝影合成技術五花八門，要欺騙我們的眼睛和耳朵，實在不是什麼困難的事情，所以，如許多坊間的假法師，就會利用人類的愚昧，製造出一些光環彩影，來贏得徒眾的信心，至於聲音的效果，那就更容易騙人了。

因此，我們要看好自己的門戶，也就是眼、耳、鼻、舌、身、意，不要向外放縱。如果無限制的放縱，等於敞開大門，小偷盜匪就輕易的跑進來了。曉雲導師有一幅「經變圖」，是取自《法句譬喻經》的故事，名為「如龜之藏六」。畫中有一位年輕比丘，上山修道，嫌山中的鳥獸蟲鳴太吵，無法攝心修行。然後他來到水邊，流水潺潺，他又嫌太吵，無法靜下心來。此時他見對岸有一位行者，穩坐如泰山，就請教對方：「您怎能如此地靜心修道呢？」正在此時，恰好有一隻烏龜爬過，有隻狗要咬它，牠將頭尾四肢收藏進龜殼裡，狗就咬不著了。行者指著烏龜說：「你應該學學這隻烏龜，把你的六根（眼、耳、鼻、舌、身、意）收起來，不要向外放逸，這樣，你的心就不會受到外界侵擾，而獲得安寧。」

要培養智慧，要把心收回來，眼睛向內看，耳朵向內聞，六根是我們心靈的門戶，然而也是心的奴隸，心才一

動，眼睛、耳朵、鼻子、舌頭、身體四肢，以及意念，都
會隨之有所行動。我們培養心靈的智慧，要從這六根上面
起修。例如觀世音菩薩，他是修耳根的，聞盡一切聲而不
動，經云：「能聞所聞盡，返聞聞自性」，最後證入無生
法忍。阿律陀因為雙目失明，佛陀教他向內視，而獲得天
眼通。看內心的世界，聽內心的聲音。把所有的包袱放下
來。放下來即是「空」，所謂：「一念不生全體現。」空
不是空空盪盪，什麼都沒有了，而是「空生大覺」，覺有
情，普度一切眾生，這就是「菩薩精神」。

智慧光明的人生

　　為了要獲得心靈的平靜，不能靠神通。心存正知正見
，不可傷天害理，損人利己，俯仰無愧，才能心安理得，
所謂「平生不做虧心事，半夜敲門也不驚。」這樣才不會
被外在世界所蒙蔽。

　　正知及正見是從何而來呢？是從智慧生起的。有智慧
的人，能冷靜的觀察事情的始末，屹立於時代的狂風暴雨
中，不為所動，所以說「智包宇宙，學究天人，無欲則剛
，有容乃大。」

　　但是，如何開啟心靈的智慧呢？智慧必須靠自己修得
。不是任何人可以給予的，正所謂：「自己吃飯自己飽，
自己生死自己了。」不可能由某人用手指一點，就可以開

悟，馬上擁有智慧。

　　人生必須靠自己來開創，只要方法正確，每個人都可以獲得喜悅自在。最重要的，是建立一個中心思想，一個正當的宗教信仰是最明智的選擇。曉雲導師就常說：「所有的宗教都是勸人為善的，尤其是歷經千年的宗教，經得起時間的考驗，對人類有所貢獻，所以也必然有其存在的價值。」

　　有了中心思想，心裡便有了主宰。但是還需要有堅定的信心。古語有云：「信為道源功德母。」無信不能入真理，更無法體會箇中三昧。有了信心以後，還須立定志向和目標，不畏艱難，憑著毅力和決心，一步一步實現自己的理想，這就是佛家所說的「信、願、行」。

　　所謂無規矩不能成方圓，生活在人世間，應有一些可遵行的法則和規範，這就是「戒」，由戒能生定，由禪定產生智慧。這一種智慧，不是一般世俗的智慧，而是「般若妙智慧」。有了妙智慧，不但為自己開拓出積極進取的人生，還有能力發大悲大願心，幫助救濟別人。知識有用盡之時，唯有智慧是源頭活水，取之不盡，用之不竭。

　　社會上有許多的法律規章，以顯防非止惡之功，一旦行為有所逾越，則必然依法辦之。然而守戒，卻不僅是行為上的，心裡的惡念也加以制止，這才是根本的方法。為了使我們心靈淨化，貪心少一點，慾望少一些，心才空得

下來，否則天天念佛，亦徒勞無功。古語云：「人到無求品自高。」常常把心事放下來，「空」一「空」，「定」一「定」，習慣恬淡的生活，心靈自然達到純淨。生活若能回歸自然，心靈更比較容易安靜。智慧在淨化的心靈中自然顯現，所以 曉雲導師說：「探珠宜靜浪，動水取應難」，行者可會得麼？

「心淨則國土淨」，同樣「國土淨則心淨」，彼此互為因果。不可否認的，自然對於心靈淨化有著必然的影響。天地萬物大自然都是好老師，時時為我們講說宇宙人生的真理，但是，有幾個人會傾心去聽呢？在自然的陶冶中，人類很容易恢復本具的善良心性。

生活在人間，人際關係是十分重要的，所謂「人人為我，我為人人。」要影響社會，單有智慧不夠，還要講慈悲，智慧與慈悲是一體的兩面。對於人際關係的發揚，佛教提倡是「四攝法」，就是布施、愛語、同事、利行。

所謂「布施」，就是當別人有需要的時候，適時的滿足他，不令匱乏。布施並不限於有形的財物，布施有三種：財施、法施、無畏施。除了金錢以外，中肯的言詞以指引正確的人生方向，也是一種布施；解除別人的恐懼，也是一種布施，如觀世音菩薩普度眾生，祂有一稱號：「施無畏者」。

「愛語」是溫馨親切的言語，同一件事情表達的語言

態度，可能產生不一樣的效果。同時，親人之間，常以愛語互相關心問候，誤會就不易產生，所以愛語也是維繫親情的潤滑劑。

所謂「同事」者，就是站在對方的立場來看待同一件事情，這樣彼此就會有一致的出發點。遇事要設身處地，替對方想一想，就可以促進人際之間的諒解。

「利行」，就是行方便，幫助別人解決問題，今天你幫助別人，明天別人就會幫助你，多一位朋友，就多一份助力。這對促進一個安和樂利的社會，是非常重要的。內心達到安詳自在，處世重視人際關係，這樣才能夠創造出幸福快樂的人生，和莊嚴美好的明天。

轉自一九九八年七月二十七日及二十八日《中央日報副刊》

禪，自我管理

禪之源

在談「禪與管理」前，要先了解什麼是禪，才能進一步研究禪與管理的關係。簡單的說，禪是佛教一個宗派，也是修行的一種方式，或者說是修行的一個過程，更是修行的一種境界，幾種意義都說得通。

禪，梵文原名禪那，翻成中文作靜慮，昔日靈山會上，佛陀拈花，迦葉微笑。佛陀知道迦葉尊者明白他的心意，便對他說：「吾有正法眼藏，涅槃妙心，實相無相，付囑於汝，不立文字，教外別傳，直指人心，見性成佛。」這種超越語言文字、以心印心的法門就是禪，佛陀當下將禪法傳與迦葉，成為佛教的一個宗派。

迦葉尊者是佛陀座下十大弟子之一，這十大弟子各有特色。如舍利弗是智慧第一；須菩提是解空第一；佛的堂弟阿難，常隨侍佛陀身邊，聽聞佛法最完整，稱為多聞第一；至於迦葉尊者，則是頭陀第一。所謂「頭陀」就是修苦行者，每種宗教都有苦修，迦葉尊者修苦行無人能及，是

佛陀身邊最受尊重的長老之一。我們常看到廟裡釋迦牟尼佛
聖像前,有一長一少兩位尊者,年長者就是迦葉尊者,而
年少的那位就是阿難尊者。迦葉尊者接受禪法後,成為禪
宗的初祖,其後傳給阿難,是為禪宗二祖,在印度傳了二
十八代後傳至菩提達摩。

　　達摩祖師一葦過江的故事,大家可能耳熟能詳。他來
到中土後,遇到梁武帝,當時信佛甚篤的梁武帝接待十分
慇懃。他問達摩祖師道:「寡人修橋築路,有何功德?」
祖師卻答以:「並無功德。」話不投機,達摩祖師就到嵩
山去了,他在少林寺面壁十九年,終於遇到跪倒雪地、斷
臂明志的神光慧可,達摩被他的真誠感動,傳以安心之法
。自此慧可成為達摩祖師的傳人,中國禪宗法系的二祖,
是第一位中國人的禪宗祖師。禪宗三祖僧璨、四祖道信、
五祖弘忍,至六祖慧能,慧能大師弘揚《金剛經》,把禪
宗發揚光大,由於衣缽之傳,會導致人對傳承的執著,禪
宗傳到六祖,所謂「一枝五葉」,就不再傳授衣缽了。唐
朝禪宗十分興盛,六祖後有青原行思和南岳懷讓等,分別
發展出溈仰、臨濟、曹洞、雲門、法眼等五個宗派。那時
有很多人都熱中學禪,尤其在南方,以參話頭、鬥機鋒、
頓悟為主,與達摩祖師以前的禪有了明顯的改變,所以後
人將六祖慧能大師後的禪稱作祖師禪,以別於達摩祖師前的
如來禪。

如來禪與祖師禪

　　談到這裡我還是要解釋一下，何謂如來禪？何謂祖師禪？如來禪講的是次第法門，也就是漸修法門，至於祖師禪，是六祖以後發展出來的，以參禪頓悟為特色。祖師禪的一大特色，就是提起疑情來參。所謂「大疑大悟，小疑小悟，不疑不悟。」這與一般宗教強調「信」迥然有別。所謂參話頭，就是參還未出口的話，稱為話頭，此時不落思維，直接參究其奧義，例如「念佛是誰」、「父母生前的本來面目」、「祖師西來意」等。參話頭不能執著於文字，是不經過思維邏輯的，這就是祖師禪的特色。

　　達摩祖師西來，仍有四卷《楞伽經》，並提出理入與行入。所謂「理」是藉教悟宗，從經教之真理以參悟佛性。行入有四種，即報怨行、隨緣行、無所求行、及稱法行，所以達摩之禪仍是如來禪。天台宗以如來禪為主，講究修行次第，特別重視經教，天台宗有「經藏禪」，在誦經中入禪定，如智者大師誦《妙法蓮華經》悟入法華三昧。

　　特別值得一提的是慧能與神秀同出黃梅五祖門下，而六祖的「本來無一物，何處惹塵埃」是直指般若性空，而神秀的「時時勤拂拭，莫使惹塵埃」，卻是主張將無始以來的塵垢洗刷乾淨，是為漸修。我們千萬不可以隨便批評神秀大師，這種法門其實特別適合末法修行。因為現代人心

思繁瑣，人際關係複雜，生活壓力大，心不斷的在動，妄念紛飛，無一刻停止，如何能參禪入道？過去的人生活比較簡樸，沒有報紙雜誌，更沒有電視電腦，心地較清淨，環境和條件都比較容易參禪頓悟。

無厘頭的公案

　　祖師禪另一種特色是鬥機鋒，看誰的鋒利，有時甚至棍棒齊飛、呵佛罵祖，這種做法，有時會導致一些不如法的偏激，不見道的凡夫俗子，只知學習一些皮毛表象，毀佛謗法，以致犯下欺師滅祖的罪行，那就非同小可，是一定會墮地獄的。所以我們讀禪宗公案時，不可不謹慎小心，千萬別學禪師那種驚世駭俗的舉止，因為我們尚未開悟見性。禪宗公案中，常有些有趣的對話，讓人丈二金剛摸不著頭腦。同一句問話，出現不同答案，十分的無厘頭。

　　例如趙州禪師答「狗子有無佛性」，就是個典型的例子。有僧人問趙州：「狗子有佛性也無？」趙州云：「無」。僧人說：「上自諸佛，下至螻蟻，皆有佛性，狗子為什麼卻無。」趙州曰：「為伊業識在。」又一日有僧問趙州：「狗子有佛性也無？」趙州卻說「有」，僧人說：「既有佛性，為何撞入這個臭皮囊？」趙州答曰：「為他知而故犯。」真正是隨處機鋒，活潑自然。

　　另一則公案是「何謂祖師西來意？」每位禪師的答案

都不同。如香林禪師答：「久坐成勞。」趙州禪師曰：「板齒生毛。」洞山禪師云：「待洞水逆流，即與汝道。」禪師們答非所問，令人不知所措，其實都是指放下執著、強調當下。

空不空

千古以來只有一位六祖，悟得「法性本空」。現在多元社會複雜的價值觀，和是非模稜兩可的生態，要以祖師禪來達到開悟的目的是極不容易的。倒不如學習神秀法師「時時勤拂拭，莫使惹塵埃」，掃盡煩惱、苦悶、和壓力，則心境步步開展而漸入佳境。現代人心頭都有千千結，糾成一團，唯有將小結一個個打開，慢慢的整個大結就會鬆散，然後一下子就解開了。天台宗定西法師把六祖的偈語作了修改，他說：「本來無一物，唯有四悉檀」。悉檀是梵語，意即成就。四悉檀者：世界悉檀、為人悉檀、對治悉檀、及第一義悉檀。第一是世界悉檀，因為有世界就有時空，有時空就有事，就有人際關係，不可能空得了。但是，因為空是不沾染執著，從另一個超越的層面來看事情，如觀世音菩薩行深般若，「照見五蘊皆空，度一切苦厄」。當五蘊皆空時，何來苦厄可度呢？所以說苦厄不是沒有，菩薩方便慈悲救護。所以「真空不空」，「真空妙有」。菩薩覺悟般若性空，在心境方面具有一種不同的眼光，

去觀察看待世間一切，無牽無掛，度化眾生。

禪與自我管理

坊間有許多莫名其妙的禪，有人甚至把氣功當作禪，或是把無厘頭的言行當作禪，這是大錯特錯的。禪，是一個過程，是一種境界，但不是目的，禪是修行的方法，是自我管理。習禪者的自在心靈，呈現出一個活潑潑的人生，一種活潑潑的生命價值。

禪的管理是心的管理，佛教講的是心法，這個「法」就是真理。華梵大學提倡「覺之教育」，在自覺、覺他、覺行圓滿，而自覺之道在於自我管理，禪是自我管理以達覺悟的方法，所以禪就是覺之教育。

禪是對身心之調攝，坐禪前，由調身、調息而至調心，這種步驟即身由動而靜，息由粗而微，心由雜而純，煩惱不侵，澄懷靜慮，三業清淨，功夫純熟，智慧現前，任何困難和問題都可以迎刃而解，這就是禪的自我管理。

禪的形式

虛雲老和尚的一生中經歷過各種苦難，是一位非常了不起的大德。有一次他在山中修習禪定，把紅薯放在火堆上烤，出定後才發現火早滅了，還發現老虎的腳印，這一坐竟忘了歲月，連老虎來過都不知道。

　　承天禪寺創始人廣欽老和尚，又名果子師，早年在福建山中入定，有人發現他沒有鼻息，以為他死了，要將他埋葬。正巧弘一大師至閩弘法，聽聞此事急忙趕過去，發現廣欽和尚只是入了定，就用手指三彈，廣欽老和尚就醒過來了。為什麼在他入定時沒有呼吸呢？那是因為他修禪時調呼吸，由風至喘、喘至氣、氣至息，由粗短的氣息，漸漸至又細又長的微息，繼之沒有明顯的呼吸，而是用全身毛孔來呼吸。

　　另外一種方法名般舟三昧，三昧是梵語Samadhi，意譯即正定，九十天不坐不臥。在一個大廳堂裡的四角都有一根柱子，將一根粗繩子相繼綁住柱子環繞廳堂一周，在繩子上包著厚布，修行者可以握著繩子行走，一步一句佛號，不可以坐下，更不可以躺下來。連睡覺、吃飯、如廁都是站著的，這種禪稱為行三昧，行走中進入正定。諸大乘經中的文殊三昧，又稱為非行非坐三昧，不論行、住、坐、臥，將佛法運行在生活中。時時刻刻不離正定，吃飯時吃飯、睡覺時睡覺，凝神靜慮，心不二用，活在當下，也可以名之為「生活禪」。

　　「禪是不思前，不思後，單看現前一念。」非行非坐三昧是文殊菩薩所提倡，是最高超也是最難行的。因為不論是行三昧、坐三昧都有一個期限，而文殊三昧卻是時時刻刻不離正定，「挑柴運水無非佛法。」生活在佛法中，

時刻都以一念觀心，所謂「行也禪、坐也禪，行住坐臥體安然」。如此心地清涼，由正定而獲得大智慧。

禪之道

禪者進入禪堂後，盤起腿來，要調身、調息、至調心，然後靜下心，依禪堂教授的方法來參禪，不要經常更換題目，否則徒勞無功。例如有人參話頭，一句「念佛是誰」，一輩子不忘不失。天台宗提倡數息法門，以《小止觀》為依歸，《六妙門》為導引，以一呼一吸為一息，由一數到十，十息後再重頭數。也有人禪淨雙修，執持念「阿彌陀佛」聖號，直至淨念相繼、無有間斷，念而無念、無念而念的惺惺寂寂，就是禪的境界。

廟裡打禪七，過去意在剋期求證，現代人只是去體會一下禪味，七天中打坐參禪，把心靜下來；也有一些人每天下班後靜坐片刻，可以安頓身心。就好像密集課程一樣，為疲憊的心靈稍作安撫，漸漸進入禪定，也會有一種輕快的感覺。但是，禪若不能在生活中落實是不夠的，如同三天打魚、兩天曬網，無法成就。

曉雲導師特別提到禪前定後，未參禪前心在何處？禪定後身心有何改變？禪前心要靜，定後心有淨。習禪之人生活要如法，八風吹不動（毀、譽、興、衰、財、色、名、睡），就是禪定功夫，若是動不動發脾氣，打一輩子坐

，與禪發生不了關係。禪，不是一具僵硬的身軀，在禪堂裡最忌諱的就是胡思亂想，該想的也想，不該想的也想，還不如睡覺。胡思亂想與淨念形成的磁場不搭調，當大眾屏息凝神之際，會形成一股氛圍。若少數人不能專注，即干擾眾人所成的磁場，此時正念強而邪念弱，邪不勝正，胡思亂想的人可能心志錯亂。同時精神衰弱或是腦力不濟的人，都不適宜參禪。

牧心如牧牛

禪的管理法門，以及修禪的步驟和境界，用普明禪師的「牧牛詩」來解釋，最為透徹。後人將普明禪師的詩，畫成十幅「牧牛圖」，圖中的牛，就是比喻人心，心如一頭不聽話的大蠻牛，會踐踏田裡的佳苗。牧牛十個步驟，是漸修的功夫。大蠻牛不聽主人使喚，經過牧童的調伏才能轉化。心，也需要智慧來降伏它。牧童就象徵智慧，所謂牧，就是修行。讓我們的心由剛強轉化為柔和，由執著轉化為無礙自在。大蠻牛原是很凶猛的，牧童不得不用芒繩穿過牠的鼻子，鞭打牠、馴服牠、讓牠聽話。大蠻牛變得溫純了，一步一趨跟著牧童；漸漸可以把牠綁在樹上，牧童獨自吹笛取樂，或是躺在石上休息，牛在一旁自由自在的吃草。此時黑牛已轉變為白牛，象徵牛的野蠻的劣性已變成純良。接下來白牛在雲端中無拘無束、悠遊自在。

再則白牛亦失去了蹤影，只剩下牧童，表示在這個階段我執空了，但是：「歸來猶有一重關」；最後的圖畫中，連牧童也不見了，智慧是法，所以法執也空了。在牛也不見、人也不現之時，喻人法雙泯，是修禪學佛的最高境界。

十幅圖畫中，牛象徵自我，自我是「識」，黑牛漸漸轉化成白牛，是從染至淨。我之所以為我，是業力的合成，業力是識的累積，《楞嚴經》云：「根塵相緣，識生其中」。凡人都有六根，即眼、耳、鼻、舌、身、意，遇到外境的六塵，就是色、聲、香、味、觸、法，就產生六識，即見、聞、嗅、嘗、覺、知。根本佛教的唯識宗，將人的分辨能力稱為識，共有八種合稱八識，除了眼識、耳識、鼻識、舌識、身識、意識，還有末那識和阿賴耶識。

前六識之訊息進入第七識（末那識），就會產生分別，執著利弊得失，就是我執，這種執著留在第八識（阿賴耶識）中，根深柢固，久而久之匯成一股強大的力量，稱為業力。若能轉識成智，心即不為外境所轉，而獲得大自在。

人生在世，匆匆數十寒暑，為著事業、家庭打拚，外在的壓力自是難免，令人身心俱疲，甚至患上憂鬱症、高血壓等慢性疾病，有幾人能得到安詳和自在呢？學習禪法以既定的功課，運行於日常生活，可以滋潤心靈，培養定力與智慧，凡事不急不緩，漸漸變化氣質，心和氣平，法喜充滿，遇著惱人之事，亦常會以智慧消融，這是生活禪

的妙用，實為現代人最佳的健康營養補給品呢。

　　　　　　二〇〇三年五月二十八日講於華梵大學

　　　　　　　　「第五屆禪與管理研討會」

宗教與人生

什麼是宗教

　　千古以來，宗教在人類的歷史中扮演了十分重要的角色，不論東西方各民族都需要宗教，宗教與人類文明進展互動，是人類精神的寄託與家園，深深影響著人類的生活作息。宗教一詞，譯作英文是religion。然而religion之義，是對一神或多神的信仰，由於佛教不主張神權，嚴格說來，佛教不是一種religion。然而中國文字中「宗教」二字，卻起源於佛教，根據《辭源》的解釋：「佛教以佛說為教，佛弟子所說為宗，宗為教的分派，合稱宗教。現泛稱對神道的信仰。」

　　廣義而言，「宗教」應當以信仰為依歸，有一定的「宗旨」，能「教化」於民。例如基督教講信、望、愛，佛教講慈悲智慧，淨化人心，都是以追求人生真、善、美為目的。正信的宗教，應當具有無私無我，犧牲奉獻的精神，勸人向善，積極解決人類精神和心靈的種種問題，可以安定社會，導正人心。世上儒、釋、道、耶、回五大信仰都經歷過千年的沉澱，經得起時間的考驗，對人類歷史文

化也曾有過偉大的貢獻。

九一一事件的回顧

去年美國遭受恐怖份子的突擊，兩架客機受到挾持，衝向紐約雙子星世貿大樓，同時，五角大廈也遭受到客機自殺式的衝擊。六千多條人命慘死在這場浩劫中，此一事件造成全球極大的震撼，影響所至，股市狂瀉，暴力陰影更是揮之不去，對冷戰後人類極力營造的和平氣氛，一瞬間盪然無存。

這一事件的背後隱藏著什麼意義呢？這種令人髮指的恐怖是歷史上從不曾發生過的，美國及其盟邦義憤填膺，誓興「正義之師」，並警告阿富汗神學士，若不交出禍首賓拉登，將大舉入侵阿富汗，瓦解塔利班政權。其實，這種不顧後果的報復行為，又何嘗不是另一種恐怖？「以暴制暴」是否能遏止阿拉伯國家對西方世界的仇恨，而贏得一勞永逸的永久太平呢？

九一一事件是源自種族間的仇恨，也是回教世界與以美國為首的西方國家之間的戰爭。此一役不論誰輸誰贏，都已造成高度極化對立，蘇丹、伊拉克、巴勒斯坦等許多回教國家都將此役扯上宗教，仇視美國的穆斯林更強調他們打的是一場「聖戰」。從許多阿拉伯人民看到美國受到攻擊而興奮雀躍，以及巴勒斯坦人民同情賓拉登的言論足可證明

。我所擔心的，這將是一場永無休止的戰爭。杭亭頓在《文明衝突與世界秩序的重建》一書中說，「回教國家常用來解決問題的方式就是暴力」，這是極令人擔憂的。回教其實也是主張和平的宗教，是什麼原因讓他們選擇了玉石俱焚。

宗教與和平

　　不論任何宗教，其目的都是勸人為善，宗教也都在宣揚如何提昇人的品質，以及慈悲大愛、服務利他的精神。第二次大戰結束時，日本投降，中國人「以德報怨」，不曾要求日本任何賠償，這一種氣度與儒家文化的薰習有關。在佛教與基督教的戒律中，都將「殺戒」列為第一條。聖雄甘地說：「以眼還眼只會製造出更多的瞎子。」那麼「以牙還牙」的結果，準是一群人滿地找牙了。

　　佛教講慈悲，為了眾生的利益，寧願犧牲自己的生命。過去有位富樓那尊者，為了教化兇悍野蠻的輸盧那人，請求佛陀的允許，派他前往該國傳揚佛法。佛陀說：「若是他們罵你，你怎麼辦呢？」富樓那尊者說：「我會想，他們很仁慈，沒有打我」。佛陀說：「若是他們打你呢？」尊者說：「我會想，他們很仁慈，沒有殺我。」「若是他們殺你呢？」「我會感謝他們的仁慈，因為他們給我殉道的機會，讓我求仁得仁。」佛陀說：「你可以去了。」

　　耶穌基督說：「有人打你的左臉，就把右臉給他打。」以暴力手段、持強凌弱以消滅其他文化、信仰和種族，應當不符合宗教的本意。「求同存異，和平共存。」是每個宗教應當具備的基本精神。無論伊斯蘭教、基督教、佛教、印度教都是歷千年而不衰的信仰，所謂：「時間是試金石」，宗教因人類的需要而存在。有人喜歡吃蘋果，有人覺得梨子香。宗教是人類千年的救贖，任何以「宗教」為藉口而發動的戰爭，基本上都是違背宗教精神，有位伊斯蘭教的朋友說：「為聖戰死，立登天堂」是誤解了《可蘭經》，聖戰其實是對人性的罪惡宣戰。

　　達賴喇嘛說得好：「我們必須致力於解除內在的武裝，然後接著致力於解除外在的武裝。我指的是去除所有會導致暴力的負面情緒，同時也必須一步一步逐漸解除外在的武裝。首先我們必須完全廢除核子武器，然後逐步解除軍備，做到全世界完全解除軍備為止。」雖然目前外在的武裝似乎有增無減，解除內在的武裝，則是我們每個人都可以進行的。根本的辦法，就是放下貪婪、仇恨、妒嫉，另外，還可以用仁愛、慈悲、容忍、謙和、禮讓、溝通、了解、幫助、方便，來創造和平。在日常生活中，給別人一個微笑，一句鼓勵的話，或舉手之勞，都可以營造和平的氣氛。

宗教與神通

　　數年前，台灣社會發生「宗教亂象」，許多不肖之徒，假宗教之名，自稱上師、禪師，製造分身放光，欺世盜名，詐財歛色，使不少人深受其害。這種邪魔外道的勢力是不容忽視的。雖然台灣還不曾發生過像加州人民教堂集體自殺，日本真理教地鐵毒氣，或是烏干達基督教末日教派信徒自焚等事件，但是，正邪之間，若不加分辨，遲早會發生問題。

　　正信的宗教，除了道德崇高的教主外，還必須具備完整的教義和教理，使信眾之舉止行誼有所依歸，宗教也有教會與修道人士，傳承法脈與法統。正信的宗教，建構在道德倫理的基礎上。

　　一般民眾，對神通特別執迷，尤其相信上師，可以顯現神通、治療疾病，或是相信法師加持、賜福。其實神通就是特異功能，是人人可以訓練的潛能，不足為奇，佛經中甚至開示如何修煉，或是菩薩在特別場所中表現神通。台大李嗣涔教授有計劃的訓練小朋友特異功能，經過訓練的小朋友，有些可以在密閉的黑盒子中用手識字，也有人用念力折彎密閉盒子裡的鐵絲和牙籤。修行人透過修行亦可以獲得神通，例如佛教講六神通，天眼通、天耳通、神足通、宿命通、他心通、漏盡通。真正的高僧大德，或多或少

都有些神通，但不會輕易在人前顯現。神通是修行的副產品，並不奇怪，且與了生脫死，明心見性無直接的關係。佛陀的弟子中有一位「神通第一」的目犍連尊者，最後被外道以石塊打死，而無法用神通挽回他的生命。

許多新興教派利用神通吸引信眾，其中大多是使用障眼手法，即使真有神通，並不等於他也有崇高的品德，這是信眾們不可不察的。靈異現象絕對不是宗教信仰的重點，如果信眾執迷神通，遇到困難時，只會求助巫醫外道，無疑是給予神棍騙子一個可趁之機。

至於「開悟」，是淨化心靈、修持證果的境界，不可能由外人賜與。佛陀的堂弟阿難，絕頂聰明，聽過的佛法能一字不漏牢記在心，被稱為「多聞第一」。佛在世時阿難並未開悟，可見佛陀也不能賜他一個「悟」，「悟」必須自己親力親為修證而得。如今末法時代，若說某某師父賜人開天眼、開悟，全都是無稽之談。

宗教的功能

宗教的基本功能，是要讓人活得心安理得，自由自在。人生的際遇各各不同，有智愚，貧富，美醜，凶吉，盲聾瘖啞等，宿命不是人力所能決定的。事實上，人生最大的不完美，並不是身體的缺憾，而是來自心靈的閉塞，如貪婪、嗔恨、妒嫉、煩惱、困擾、憂慮、恐懼等，控制不

當，就會付諸於愚蠢的行動而滋生出種種社會問題。建設
心靈和化解心理的矛盾，也許不全是心理學家可以解決得了
的問題，宗教可以發揮一定的療效，關於人生的困苦與宗
教的求贖，在此略作說明：

一、人生是脆弱的，常遭遇到生離死別，困難挫折，
病痛苦惱，需要依靠支持，止痛療傷，如觀音菩薩、聖
母、耶穌，都是人類心靈的依靠。當佛教徒遇到苦難時，
會誦念「南無大悲觀世音菩薩」，當基督徒遇到苦難時，
會向基督禱告、向聖母轉求。例如九二一地震災難後，各
宗教都及時發揮了慈悲與大愛精神，出錢出力為災區重建家
園。

二、人性能善能惡，為了杜絕罪行、止惡防非，各宗
教都有戒律，可以規範人的思想行為。如基督宗教的十戒
，佛教的五戒，菩薩戒等。在戒律的規範下，人的思想舉
止行為合理合法，就不會做錯事，因為「舉頭三尺有神明」
，心中有所畏懼，就不敢行差踏錯。

三、人生是軟弱的，有些人意志力薄弱，抵擋不了誘
惑，而迷失自己，每一種宗教都有懺悔的辦法，如天主教
的告解，佛教有大悲懺等儀式，洗滌自己的罪過，並且從
懺悔中，徹底去思索罪孽的根源，絕不重蹈覆轍，如此以
求解脫罪業的淵藪。

四、宗教人生的實踐，從積極面而言，宗教人應當認

識自己，了解人生的價值和意義。進一步超越自己，學習我們所尊崇的聖賢。如基督教行大愛，效法耶穌基督。佛教講學佛，「行菩薩行」，亦即「不為自己求安樂，但願眾生得離苦」的菩薩精神。

五、人生是無常的，宗教開啟永生之路。最近索甲仁波切的《西藏生死書》很暢銷，死亡是極自然的事，有生必有死。因此，人類不必過度懼怕死亡，宗教給予人們對於未來美好憧憬與希望，如天國，極樂世界，來生，這就是終極關懷的一環。

宗教的生活

宗教常包括好幾個層面，有信仰、研究和實踐。以佛教為例，普羅大眾的佛教徒，一般比較重視宗教儀式，如法會課誦，或在有困難時祈求菩薩庇佑，趨吉避凶。然而「求福求祿求高壽、拜神拜佛拜祖先」之作法，完全不涉及佛學奧義，但使祈求者心安而已。至於佛學家則是將經典當作一門學問研究，本身並不見得是佛教徒。至於宗教實踐者則是以佛法為生命的依歸，「行無緣慈，運同體悲」，行解並重，自覺覺他，利益眾生。

這些宗教人的偉大行為，深深影響人類。如史懷哲醫生、德蕾莎修女、證嚴法師、展望會都是各宗教的表率。一個宗教是否受到大眾的肯定和支持，可從信眾的表現中反

映。許國宏教授說：「我看一個宗教，首先觀察信徒的言行。」宗教徒的生活分為內、外兩方面，內生活著重反觀內明，如曾子曰：「吾日三省吾身，與人謀而不忠乎，與朋友交而不信乎，傳不習乎」，《增廣賢文》有：「靜坐常思己過，閑談莫說人非」，都是自覺的功夫。宗教徒的外生活，則是與人為善、化度眾生，這也是傳教的關鍵。基督教主張「愛神、愛人」，佛教主張「上求佛道，下化眾生」。如果能把自己化作神佛的分身，樂善好施，解救別人的困難，就是生活與信仰統一，就是真正的宗教徒。

宗教徒的修行

要成為宗教徒，須經過一種儀式，例如基督教的受洗，和佛教的皈依及受戒。

宗教徒應有信仰生活，佛教徒可找家中乾淨一角，安一尊佛像早晚上香，念佛誦經；基督徒則可安十字架或聖母像，早晚祈禱，並於週日禮拜。宗教生活應有一種修行的方法，以提昇自己，如祈禱、誦經、數息、持名、觀想、參禪等。對於佛教徒而言，為了培養慈悲心，不可殺生，積極的做法，則是放生茹素，天主教逢週五不食肉、伊斯蘭教則有齋戒月之規定。

宗教徒靈修的目的，在於人格的昇華，以及培養救世濟民的情懷及舉動，因此：

1. 首先心中要培養一個契合信仰方向和目標的中心思想。
2. 發一個銘記在心的大願，願力會引導善行，造福人類社會。
3. 時刻反觀內明，息滅貪嗔癡，以淨化心靈。
4. 生活回歸儉樸，親近大自然，尊重生命。
5. 親近良師益友，接受善知識的言行感化，行善利生。
6. 常懷歡喜心，關懷別人，樂善布施，積極投入社會工作。
7. 每日靜坐片刻，保持心靈平安清淨，胸襟必然逐漸開闊。

　　宗教對於人類文明影響深遠，千古以來無論東西方，宗教都為藝術、音樂、文學留下了不朽的作品。國父孫中山先生說：「信仰能產生力量。」宗教信仰為人類帶來神奇而不可思議的力量，突破困境，化解厄難。在如今這一道德不彰的年代，宗教家的心態也必須調整，使心胸更包容、更開闊，對於不同的信仰，不可心懷蔑視，而應相互尊重，彼此讚嘆，異中求同。各種宗教的一些基本教義，或許不盡相同，但這不是辯論的事情。宗教不是政治，對於不同的理念便大加撻伐，作為吸收信徒的手段。宗教要具備超越世俗的觀念，重視一切人類的需要，對於一切人皆寄與同情與關懷。同時，對於科學的發展，也應該包容

尊重，不必太過預設立場，來作條件性的限制。

　　另一方面，在道德的規範與考量下，宗教應為正義和公理代言，如複製人、墮胎、動物實驗等，都是踐踏生命的尊嚴，是所有宗教不容許的，所以不應流於世俗而妥協。信仰宗教的最終目的，在於發揚宗教大無畏的精神，積極入世，淨化社會，以大愛與慈悲，利益眾生。

轉自二〇〇〇年八月《國魂月刊》

青春不要留白

小老鼠的悲哀

捷克名作家卡夫卡（F. Kafka）有一篇〈老鼠〉的短文：

有隻老鼠說：「唉呀！從前當我還是隻小小老鼠時，看到天地無限的寬廣，心裡覺得很高興。於是我開始向前跑，跑呀跑呀，漸漸的，不知何時發現，從後面的遠方，左右有兩道牆向我追趕而來，愈逼愈近，最後迫得我走投無路，只好退縮到這間房子的牆角，但前面有一個陷阱正在等著我。」這時候，貓說：「為什麼你不換個方向呢？」老鼠才一轉頭，貓就吃了它。

童年記憶中的房屋庭院，都好像顯得特別大，長大後，我們會感覺天地變窄了，壓力也打從四方逼來。卡夫卡因為長期受到病魔的煎熬，更感到死亡迫近的陰影。生命是有限的存在，我們要好好珍惜。青春不為任何人稍作停留。所以我奉勸年輕朋友，好好把握青春，不要讓青春留白。

雖然目前天地看似無限的寬闊，有著無數機會等你選擇

，例如未來的事業、婚姻，和生活，都還是未定之數。可
是，「光陰似箭，日月如梭。」失去的時光不會再來，所
以要趁著年輕力壯，努力充實自己，做生命的藝術家，把
生活規劃得多姿多彩，活出亮麗的一生。

周教授的故事

這裡我要講個成大周澤川教授的故事，童年時，他的
家境相當清苦。為了九個兄弟姊妹，父母親被肩頭重擔壓
得透不過氣來，沒有時間照顧到每個孩子。有一次，姊姊
不知何故正傷心哭鬧，忽然聽到媽媽一聲「吃飯囉！」，
馬上停止了哭泣，乖乖地回到桌邊吃飯。他當時覺得很好
奇，姊姊為什麼能那麼快就控制住悲傷的情緒？直到有一
天，他自己也在哭鬧著，連吃飯時間也耽誤了，不料等到
他哭完，飯也被兄弟姊妹吃光了，只得挨餓到下一餐。

他談到大學時代，獨自挑燈夜戰。夜深人靜時，覺得
又饑又累。這時候，他拿起一個滷蛋，一邊思考著：「是
該趕快睡覺呢，還是多讀一個小時，獎勵自己吃顆滷蛋？」
現在的年輕人一定感到不可思議，一顆小小的滷蛋，還要
考慮究竟吃不吃。這令我聯想起一位美國父親教導孩子的故
事。父親說：「華盛頓總統建國初期，窮得連麵包也沒得
吃。」孩子說：「那他為什麼不吃牛肉呢？」

五十年代的台灣，物質生活貧窮落後，精神方面卻比

較充實，人與人的關係也比較親切。青年人都有奮鬥的目標。當年我在台大讀書，一早在校園跟一位退休軍官學太極。清晨的校園裡，到處都可見埋頭用功的學生。那時的年輕人韌性較強，能吃苦，留學生大多無法依靠父母親提供昂貴的學費和生活。全憑優秀的成績申請獎助學金，或是半工半讀賺取學費。身在國外的青年，無論學業成績，或是待人處世，表現也是可圈可點。有人說：「一個系所，有一位中國人，一位猶太人，美國人最多只能考到第三名。」想想，那是何等傲人的成績？

現在這種情形，台灣各大學已不復再見。有一年，我去大陸開會，住在安徽大學的招待所裡，清晨起來，意外發現一個熟悉的景象，就是校園內到處是拿著書本，耳朵聽著英語收音機，或三五成群，或獨自徘徊的年輕人。在美國教書的朋友們告訴我，近十幾年來，留美的台灣學生競爭力普遍降低了。而大陸的中國留學生，才是獎學金眷顧的對象。人的潛力需要被激發才會產生，如果沒有細心的生涯規劃，沒有奮鬥的方向和目標，如何能獲得幸運之神眷顧呢？

知恩惜福，邁向未來

記得過去，越南和菲律賓都比台灣富裕，蔣經國先生出任行政院長，推動十大建設，中小企業崛起，國民年收

入大幅度成長；過去的台灣，老百姓胼手胝足的工作，重視家庭，講究倫理，人人守法知禮，帶來了今天社會的富足繁榮。那是前輩們刻苦耐勞、辛勤耕耘的結果。我們年輕人應當知恩惜福，也應該想想自己的責任和義務，為未來家國以及下一代子孫營造一個理想的生活空間。

五十年代的台灣人，平均每天工作十幾個小時，現在生活富裕了，每週休息兩天，我並不是反對這個趨勢。人，的確需要適當的時間和環境來調節身、心、靈，不是一味工作，完全不休息，社會就會有進步。休息，是為了走更長遠的路，有休閒的空間，人才會活得有智慧、有品質、有尊嚴。如今台灣已經由勞力密集的製造業，晉升為精緻的工商服務業。資訊主導的社會，許多工作是自動化生產，由電腦取代人工。所以，人的腦力應該用在電腦科技無法替代的工作，這當然是正常的發展。

但是，我擔心的，是年輕朋友們經常日夜顛倒，晚上不睡覺，早上爬不起，不是為了工作，而是把寶貴的青春耗費在電動遊戲，卡拉OK上，如此不但勞民，也會傷財。不但白天精神差，學習及生活都受到影響，長此以往，更會傷害到身體健康。對自己，對家庭，對國家社會都是一種無形的損失。

吃苦耐勞人上人

　　人生起起伏伏，有順境也有逆境，當然免不了挫折和磨難。有些人生長在不太幸福的家庭，也許言行思想有些偏激。有些人偶爾受點挫敗，便自暴自棄。孟子說：「天將降大任於斯人也，必先苦其心志，勞其筋骨，餓其體膚……」。所謂「吃得苦中苦，方為人上人。」台灣算得上是世界相當富庶的地方，生活再窮，總不致於挨餓。即使環境比別人稍為差一點，也要立下大志，做個有用之人。天下沒有白吃的午餐，想成功，必須忍人之不能忍，不在乎物質上的困乏，即使是精神上的不如意，和生活上的挫敗，也要用智慧來消融，所謂「退一步海闊天空」。不要隨便與人發生意氣之爭。

　　趁著年輕，不要畏懼艱難，多少吃些苦，正好磨練自己，古人云：「不經一番寒徹骨，焉得梅花撲鼻香。」記得大學畢業那年，我在一家中學教書。分配到的上課時段，是其他老師不想要的，化學實驗室的阿伯說：「吃虧就是占便宜，年輕就是本錢，多做一點，是鍛鍊自己的能力。」這位阿伯雖然沒有讀很多書，但是他這一番話，合情合理，令我記得一輩子。瑞士哲人希帝（Hilty）曾經說過：「人生並不是以沒有遭遇到困難為幸福，而是在與困難搏鬥後，獲得輝煌勝利。力量，是從戰勝弱點的磨練中誕

生。」

年輕人的記憶力、體力、活力都特別強。我小時候所讀的書,至今還依稀記得,可是現在讀書,轉眼就忘了一半。記憶力隨著年齡呈指數衰退,所以充實自己,必須趁青春年少。老年人常說:「少壯不努力,老大徒傷悲。」就是警惕我們,多囤積生命的資源,當你所擁有的資源愈多,力量就會愈強大,而所做的事業成功率才會愈高。

人人都有無可限量的潛力,等待自己去開拓。這裡提供幾點給年輕朋友們參考:

一、認識自己,肯定自己

一般人總以為,自己最了解自己,其實不然。我們的眼睛生來向外看,耳朵生來向外聞。看到的是別人的面孔,聽到的也是別人的聲音。然後將眼睛和耳朵所接收到的資訊,在心中主觀的產生分別。這個人好,那個人壞;這個是,那個非。任意批評別人,給別人扣上許多帽子。卻不願多花時間,去了解自己,認識自己。把眼睛向內觀、耳朵向內聞,漸漸開拓心靈的天地。

事實上我們的雙眼,能看到的十分有限,有時甚至還會欺騙我們,帶給我們錯誤的資訊。例如吃大麻的人,喝醉酒的人,或是沒睡醒的人,所看到的影像,聽到的聲音,常常可能出自幻覺。若要開慧眼,需迴光返照,觀察自

心。我們每個人心裡有個「他」，佛教稱為「依他起性」，禪宗要我們「莫隨他去」。那個「他」很鬼靈精，可以是朋友，也可以是敵人。所以我們要轉化他，制服他，化敵為友，讓他老老實實，規規矩矩，發揮力量，幫助我們，成為我們的助力，開拓我們的潛能。

　　我們只需每天花一點時間，照照鏡子，問自己幾個問題。我可愛嗎？為什麼？不可愛嗎？為什麼？找出自己的優點，來肯定自己。找出自己的缺點，和自己挑戰，並征服自己的弱點。我們要做自己的主人，每天靜坐片刻，回顧一天中，做對些什麼？做錯些什麼？若使時光倒流，應當怎麼做會更好。

二、淨化心靈，開拓智慧

　　根據醫學報告，人的心智潛能，大約只用了百分之二至百分之八，其他百分之九十二尚待開發。佛教更主張人潛在的智力無窮，每個人都擁有像佛陀一樣的智慧，只是沒有被開發出來。所謂「心田不長無明草，覺苑常開智慧花。」若能拔除心中雜草，如貪、嗔、癡、妄、疑，在清淨的心田中，智慧之花必會綻放。也如同活水源頭，潺流不息。朱熹有詩云：「半畝方塘一鑑開，天光雲影共徘徊，問渠那得清如許，唯有源頭活水來。」

　　如何開拓智慧呢？古哲有云「澄懷靜慮」，儒家亦說

：「知止而後有定，定而後能靜，靜而後能安，安而後能慮，慮而後能得。」儒家的「靜」，是安靜的「靜」。而佛教的「淨」，是潔淨的「淨」，有清心寡欲的意義。常常靜坐，以調身、調息、調心，來達到身心靈的超越與提昇。

有了冷靜的頭腦，處理事情，才會慎思明辨，從容不迫，這就是「情緒智商」。此外，正確的方向、堅定的意志、努力認真的工作態度、再加上友善親切的人際關係，做任何事必定都會成功。

三、親近自然，愛惜資源

大自然是人類是母親，她滋養我們，孕育我們，提供我們生存所需要的一切資源，我們應當保護她。看到生態環境被人為蓄意破壞，我們怎能不痛心。因此我們應大聲呼籲，身為現代人，應具備「能源觀念」和「環保意識」，擅用能源和珍惜資源，維持環境永續發展，才能使「青山常在，綠水長流。」我們只有一個地球，若恣意加以破壞和污染，大自然會反撲，釀成災情，人類必定自食惡果，對於大自然所發出來的警訊，如南極臭氧層的破洞，溫室效應，和森林霾害，都是平時忽略對大自然維護的結果。此外，如颱風暴雨後的土石流，導致房屋倒塌，道路坍方等問題，也是由於人類的疏忽所致。

四、服務利他，廣結善緣

　　除了自我肯定，人類還需要被愛、被關懷和被尊重。善待周圍的人，就是善待自己。尊重別人，就是尊重自己。有些人常為一點點利益，與人爭得面紅耳赤。《增廣賢文》云：「忍一句無憂自在，退一步海闊天空。」清朝有位官吏，因其家人與鄰居為土地產生爭執時，家人請問他的意見，他對問題的看法，充分顯現出他處世為人的瀟灑：「萬里家書只為牆，讓他三尺又何妨……」。有雅量、有氣度是一個人成功的條件之一。現代企業家心目中的理想員工，不只是他的專業技能，更重要的還有他樂觀進取、勤奮努力的工作態度，和與人相處、合作合群的精神。

　　年輕朋友參加社團活動，是訓練與人溝通相處的好機會，社團正是發展「群育」的所在。在團體活動中，學習如何與人和融相處，如何管理自己的情緒，以及溝通應變、尊重容忍、分工合作，若有擔任幹部和領導的機會，更可藉此磨鍊自己，展現才能，獨當一面。擔任社團幹部，應以服務為先，因此也會受到同學們的愛戴和歡迎。今天你幫他，明天他幫你，人是社會動物，要發揚人溺己溺的精神，才能共生共榮。

　　我們的政府一向過於重視經濟成長，忽略了人文精神的發揚。在功利社會中，傳統道德在不知不覺中流失。孫運

璿先生即曾無奈的表示，「當年沒有好好提倡倫理道德，
才造成今日不可彌補的缺失。」可惜直到如今，人文教育
不但沒有受到重視，領導層級的人更是缺乏願景和方向，
社會問題叢生。身處在這種環境，年輕朋友更不可掉以輕
心，要認清享受安逸是會消磨志氣、腐蝕人心的，所以要
懂得在艱困中奮發圖強，古語有云：「從簡入奢易，從奢
入簡難」。近年來，經濟腳步愈趨緩慢，往日榮景不再，
希望年輕朋友踏實的做好生涯規劃，充實專業技能，培養
多方位的能力，並以誠懇認真的態度，做到事理圓融，如
此，才能以堅定篤實的步伐，走出歡樂幸福的人生。

轉自一九九九年六月六日及七日《中央日報副刊》

慈悲與大愛

　　「慈悲」是佛教的用語，而「大愛」則是基督教所提倡。這世界上兩大千年宗教，都是以「人」為本位，來解決人類的問題。人的問題分為內在與外在兩個層面，內在層面關係到心性的修養，而外在層面則是待人處世之道。「慈悲」與「大愛」在名相的意義雖然不同，對於調和人際關係的功能，卻能殊途同歸。

　　世間偉大的宗教哲學，都是主張對內修心，對外修德。儒家思想也是建構在一個「仁」字上，對內提倡「去人欲，存天理」，對外宏揚推己及人的忠恕之道。佛教講的是個「覺」，對內啟發智慧，淨化心靈，即所謂「自覺」，對外運行慈悲，普度眾生，也就是「覺他」。基督教講「愛」，對內敬畏上帝，對外愛世人，可見古今中外聖賢所見略同，故亦可說「萬教歸宗」。

　　今日的社會亂象，正是「冰凍三尺，非一日之寒」。道德淪喪，倫理敗壞，價值觀混淆不清，父子不睦、夫妻成仇、人心徬徨，無所依歸。人性中的自私自利、貪婪任性的成份，在環境的推波助瀾下更加展現無遺，導致人際關係

疏離，親情淡薄，生命孤獨寂寞而無助，生存的意義無法
彰顯。

我為人人，人人為我

人不可能離群索居，舉凡食衣住行，必須互相依靠，
物資才不致匱乏，此外人與人之間的心靈溝通也不可缺少
。佛經將生命比喻為海上一水泡（浮漚體），此起彼落，
如果將每個人生看成一個水分子，也必須與其他水分子藉氫
鍵相互依存。人活在世上，如果沒有其他人關心，不去關
心別人，生命就只剩下一個單體，奮鬥失去目標，心底一
片灰暗，找不到出路。在各大城市中，我們常會發現許多
遊民，蜷縮在街頭一角，行人熙來攘往，卻漠視於他們的
存在。時日一久，精神和情緒上必然受到影響，甚至難免
有反常的舉動，這種人生真是可悲。

近年來，社會新聞常報導許多家庭破碎分離，甚至發
生夫妻父子間互相傷害的人倫悲劇，其實有許多的不幸是可
以避免的。人與人之間若能適時溝通，予以溫暖和關懷，
可以避免許多誤會，甚至挽救親人寶貴的生命。鄰里間若
能伸出援手相助，協力齊心打造共生共榮的環境，可以減
少一些暴戾之氣。人與人之間唇齒相依，沒有人是完美的
，不要過分苛責別人，以忍耐、包容、關切的溫柔，來感
化鐵石心腸。從「心」出發，以「慈悲」和「大愛」關心

周邊一切人，因為慈悲和愛才是光明和希望。

　　對別人付出關愛的同時，也要對自己好一點，人生短短數十年，何必太自苦，凡事要往「開」裡想。愛自己、讓自己快樂、善待家人，改善人際關係，推己及人，做到「老吾老以及人之老，幼吾幼以及人之幼」，社會的弱勢團體都能得到很好的照顧，互相關心尊重，將大同世界的「老有所終，壯有所用，幼有所長，鰥寡孤獨廢疾者，皆有所養」作為未來的理想，生存才會更有價值，更有意義。

予樂拔苦，菩薩精神

　　佛教提倡「般若思想，菩薩精神」，「般若」即「智慧」，而菩薩講「慈悲」。所謂「慈是予樂，悲是拔苦」，「慈悲」即是「帶給別人快樂，減少別人痛苦。」一切人與生俱來，都有「予樂拔苦」的能力，一切人都可以行「慈悲」。人生起起伏伏，終究苦多於樂，如何才能「離苦得樂」呢？要「化煩惱為菩提」，消除心頭煩惱，轉化為智慧。當自己遇上艱難困苦時，要有智慧來觀察痛苦的由來，理性的分析以解除心中痛苦的糾結。當別人遇著痛苦時，需及時伸出援手，所謂「為善最樂」，因為帶給別人快樂，就是道德。「予樂拔苦」的同時，由於愛的延伸，生命的力量擴大了。就佛教的教義而言，這種舉止稱為「菩薩行」，是一種最高尚而珍貴的情操。

　　佛教提倡「慈悲」，是超越血緣關係的，所謂「行無緣慈，運同體悲。」這是什麼意思呢？「無緣慈」是對萍水相逢，互不相干的陌生人，也是衷心希望讓他獲得喜悅。當別人遇到憂傷苦惱時，感同身受就是「同體悲」。維摩詰居士是位修行證果的尊者，深入經藏、辯才無礙。有一天他生病了。佛陀請弟子們去探病，沒有一位願意接受此一任務，唯恐論起佛法來被他駁倒。佛陀只得請文殊師利菩薩去探望他，文殊菩薩問他道：「您是一位大菩薩，以您的修行，怎麼會生病呢？」維摩詰居士道：「眾生有病我有病。」所以說，一位大菩薩雖然四大調和，身心安穩自在，本來不會有病苦，但是菩薩行大慈悲，眾生身陷苦海，菩薩感同身受，所以才會一樣的痛苦。

　　講到佛教的「慈悲」，最具代表的就是觀世音菩薩，民間老弱婦孺遇到任何危難時，口中即唸「大慈大悲救苦救難觀世音菩薩」。觀世音菩薩是千古以來，善男信女的心靈依靠，所謂「千處祈求千處應，苦海常作度人舟」。觀世音菩薩也稱為「施無畏者」，因為祂能化解眾生生命中的怯弱。我們行「慈悲」，要學習觀世音菩薩，憐憫一切眾生，如此，我們的心願與菩薩接近，所產生的力量，如發射出去的電磁波頻率，和菩薩的電磁波頻率相近即可產生共鳴。當我們自己有困難祈求菩薩時，菩薩也特別容易感應，這是我對佛教「招感性」的體認，很容易明白，也很

符合科學。

佛行四攝，基督愛心

慈悲心、愛心，其實都是可以培養的，佛教培養慈悲之道有「四攝法」，即布施、愛語、同事、利行，是拓展人際關係的好方法。一是布施，就是將財物穀米施捨與需要的人，佛經提到：「若見貧窮者，下心含笑，親手遍布施」，這一份功德很大。二是愛語，就是溫暖的言語，給人信心和關懷。佛教徒行「十善」，其中身體要履行的是不殺、不盜、不淫；言語要謹慎的是：不妄言（不說謊）、不綺語（不巧言令色）、不兩舌（不說是非）、不惡口（不罵人）；而意識要遵行的是：不貪、不嗔、不癡。古人常說「積口德」，言語如利刃，一樣會傷人。三是同事，也就是賓主易位，設身處地替對方想想，「己所不欲，勿施於人」，對事情之處理才比較公正圓融。四是利行，就是方便別人，「與人方便，自己方便」，所以能利己利人。

基督教講「愛」，《哥林多前書》中記載：「愛是恆久忍耐，又有恩慈。愛是不妒嫉。愛是不自誇，不張狂，不做害羞的事，不求自己的益處，不輕易發怒，不計算人的惡，不喜歡不義，只喜歡真理。」這個愛，不是男女間的情愛，也不止骨肉親情，而是「大愛」，對世界、對人類、對社會所作出無私的犧牲奉獻，可以置個人生死於度

外，教徒們稱之為「基督精神」。根據《聖經》的說法，耶穌是天父之子，因為替世人贖罪而誕生，被釘死在十字架上。在現代的賢哲中，最能彰顯基督精神的，是非洲之父史懷哲醫生和德蕾莎修女。

惻隱之心，利益眾生

「慈悲」是發自內心的感情，「大愛」亦如是。學習忍耐、寬恕和包容。這與今天一切以「自我」出發點是不同的。作為凡人，自私、自利、自我、自大，是人性。「慈悲」與「大愛」是超凡入聖，覺他、利他、度他、益他的思想和行為。

孟子云：「惻隱之心，人皆有之。」看到老人、孺子跌倒，我們會扶他起來，這種下意識的舉止是不經思考的。宗教家堅信人性善良。佛教主張「一切眾生，皆有佛性。」只因貪嗔癡、妄想執著，把佛性遮住了，若能轉識成智，人人都可以修成正果。孔子說：「止於至善」，太虛大師說：「人成即佛成」。古今中外的宗教，都談到「利他」精神，如果沒有宗教，人類就失去了希望、失去了光明。

社會上雖然有許多愛心人士，默默行善，但因暴戾之氣太強盛，一片烏煙瘴氣，把善良的氣氛沖淡了，久而久之，人性就會麻痺。例如偶爾看到意外災難的報導，會替

受害者一掬同情之淚，有人甚至為電影情節痛哭流涕。但是，如果同樣的情節一再上演，人的感官就麻木了。如今新聞媒體一再播放血腥的畫面，對社會只會有負面的影響。

有位名畫家，要畫一幅最完美的「最後的晚餐」，每位使徒的表情，都依照他們的性格，來選擇最適當的模特兒。最後，只剩下兩個面孔，找不到模特兒。因為他要找個最善良的面孔畫耶穌，和最陰險狡猾的面孔畫猶大。終於有一天，有人介紹一位大慈善家，修橋築路、社會公益從不落人後。畫家一看，果然慈眉善目，是非常難得的人選，於是以他為模特兒畫了耶穌。但是還找不到猶大，尋尋覓覓十餘年，有人為他推薦一位十惡不赦的死囚。他去牢裡看到這個江洋大盜，一臉橫肉，窮凶極惡的相貌，正是他理想中的猶大人選。此時，大盜開口了：「畫師啊！你不認識我了嗎？我就是十多年前，你畫耶穌的模特兒啊。」

惡人可以「放下屠刀，立地成佛」，大善人一樣可能隨環境變遷而轉壞。一個人的功過，要看一輩子的言行和修為，才能決定。

「愛是鑰匙，恨是枷鎖」，我們應常常主動關懷弱勢團體，時時為別人設想，多一點寬恕和包容。漸漸地，慈悲和愛就會在心裡萌芽茁壯。如果每個人對社會都存一份愛與關懷，就是積福，人類才有前途，未來才有希望。

轉自一九九八年十月二十三日及二十四日《中央日報副刊》

淺談藝術與人生

　　人的一生中有不同的階段，而各階段也有不同的渴望與需求，這些需求是有層級的。當人類基本衣食無缺時，會進一步追求生活品質的提高。而物質生活的改善，在某種程度上，也滿足了人類心靈對美好事物的追求。作為萬物之靈，人類最終的願望應該具有高尚的動機和目的。人皆有良知良能，當心地清淨時，自然會產生一種「仁人愛物」的情緒，因此馬斯洛博士也認為，人類最終的需求是自我實踐，這也是人生的最高目的。

仁人愛物，自我超越

　　有理想方成其為人，人人都具備追求真、善、美的原動力，和不斷提昇自己、超越自己的企圖心，這是人類的本能。佛法有云：「無業不生娑婆」，人難免都有一點瑕疵，世上沒有百分之百的完人。但是，人對自己是不會輕易放棄的，沒有人天生自暴自棄，人的自甘墮落常是因環境所造成。雖然人生並不完美，但人類總是懷抱著追求完美的渴望。例如透過塑身美容、美姿美儀來形塑自己，藉

著攀登知識高峰以充實自己，最可貴的卻是那些不斷返觀內省，懺悔思過，以獲得心靈成長和安頓的人，他們追求的是心安理得的美好人生。

人生就像攀爬高山一樣，雖然前程未卜時，舉步唯艱。但山再高，路再遙遠，只要有目標、有方向、有毅力、不畏艱難，踏著先賢足跡步步前進，一定可以抵達目的地。

人人都嚮往一個完美的人生，如何可以達到這個目的呢？首先，應當讓自己快樂起來，現代人的負擔太重，心境展不開，甚至要靠藥物來治療憂鬱。古人常云：「知足常樂」，孔子讚美顏回說：「一簞食、一瓢飲，居陋巷，人不堪其憂，回也不改其樂。」多少人擁有家財萬貫、權勢名位、嬌妻美妾，卻得不到快樂。聰明的人，懂得透過教育、文化和藝術來豐富心靈，從而獲得愉悅和喜樂。

五育兼重，全人教育

我不是藝術家，過去的美術、音樂成績都不好，我一直認為自己對藝術科不開竅。直到留學德國後才發現，我也有一些美術天份，只是在我接受美育過程中，受過一些挫折，而阻礙了這方面的天資發展。人的天性沒有不愛美的，而愛美、欣賞美卻也需要學習和培養。

我們常常談到五育均衡，但是在升學主義和功利主義壓力下，國人對專業訓練的重視遠超過其他。在這種教育環

境下，美育、德育、群育、體育似乎只是陪襯，即使編入課程中的音樂和美術，往往也只重視硬性的技術指導，忽略了對美的感情訓練和陶冶，因此無法提昇年輕人的興趣和欣賞力。

　　美的教育是人文關懷的一環，如詩詞歌賦、琴棋書畫，可以觸動心靈，交流情感，與創作者產生共鳴。生命中需要美的滋潤，若是您懂得如何去營造一個美的環境，時時生活在美的氛圍中，那麼您便是一位生活藝術家。

人文關懷，觸動美感

　　人生究竟怎樣才稱得上是美好的呢？許多人認為是考究的房子，豪華的車子，漂亮的妻子，或是購買一些名畫，昂貴的古董藝術品。這樣的人生就美好嗎？其實不然！我們要懂得去欣賞高雅美的意境，而不是用金錢堆砌出來沒有生命的裝飾品。

　　對美的鑑賞能力，並非是與生俱來的，要培養愛美的情操，欣賞美的事物，以產生交流和共鳴。在眼與耳接觸美的那一剎那，心靈會產生化學變化。時常接觸美，在美的薰陶下，漸漸懂得欣賞藝術作品，與創作者和藝術家互動交流，甚至還嘗試學習創作，傳播美的訊息給親戚朋友。心靈浸淫在藝術的氣氛中，久而久之受到潛移默化，舉手投足，都會顯得特別有氣質。

　　欣賞美之前，首先要學習打開自己的心窗，讓心靈與美接觸，產生感動。企業家高樹榮先生每年都在故宮附近的「至德園」拍攝荷花，被他捕捉了許多難得的鏡頭。如半殘的荷花，飛舞著翅膀的小麻雀，十分有趣。他常沖洗這些照片給朋友，讓大家分享他的喜悅。從這些照片中，充分看到他對美的敏銳，和充滿感恩惜福的心。

　　在這裡我想談三種美，一種是自然美、環境美；一種是人文美、藝術美；還有一種是人格美、內在美。

　　曉雲法師說過：「不需要每個人都當藝術家，但是人人都應具備三分藝術情操。」如何才能培養出對美的領悟力呢？首先要培養高雅的興趣。如今週休兩天，可以從事有意義的休閒。到郊外走走，爬爬山，享受森林的芬多精，欣賞大自然夕陽晚霞，青山翠綠，微風芳草，這些人間極品，都是免費的心靈補給物，長用可以健身。

　　蘇東坡詩云：「溪聲盡是廣長舌，山色無非清淨身。夜來八萬四千偈，他日如何舉向人。」您知道誰是廣長舌？誰是清淨身？廣長舌是老師，因為他們會用長長的舌頭來教導學生。清淨身是比喻師道高貴，清淨莊嚴。蘇東坡把「溪聲山色」比喻成老師的教導，在一夜之間啟發他源源不絕的靈感，創造出八萬四千句偈語。由於他接受了來自大自然的薰陶和感召，所以大自然才會傾囊相授，使他得到生命的啟示而不斷創造佳作。

寄情天地，養浩然正氣

　　古人云：「仁者樂山，智者樂水。」山勢雄峻，恰似仁者慈悲的精神，堅毅不拔，俯仰無愧於心。海洋深邃莫測，如智慧潛力無窮。徜徉在大自然中，鳥瞰大地，見芸芸眾生營營汲汲，何其卑微渺小，頓生悲憫之心。昔日蘇東坡與客泛舟，遨遊於赤壁之下，見清風徐來，水波不生。於是嘆曰：「寄蜉蝣於天地，渺蒼海之一粟，哀吾生之須臾，羨長江之無窮。挾飛仙以遨遊，抱明月以長終。」由觀察天地情境，帶出一種覺悟的人生觀。

　　寄情於天地之間，自然培養出一種恢宏的氣魄。孟子曰：「吾擅養吾浩然之氣。」由於正氣之凝聚，而成就高貴的人格。文天祥作〈正氣歌〉：「天地有正氣，雜然賦流形，下則為河嶽，上則為日星……。」天地靈毓可開啟新思維，激勵新領悟。古人云：「養天地正氣，法古今完人。」胸襟開闊，容人容物，能承擔大任，繼往開來，所以「有容乃大。」崇尚自然，回歸自然，心境獲得舒暢，無入而不自得。

　　次談藝術情懷，包括詩詞歌賦，及音樂書畫的乾坤，古往今來，大師們的智慧結晶，有千古不朽的價值。從作品中反映藝術家的心靈，並由此對歷史時代有所窺探或洞悉。

　　詩是極迷人的，無論中外古今的詩，都有其感動或震

撼心靈的層面。陶淵明有「采菊東籬下，悠然見南山。」英國田園詩人Wordsworth，也寫菊，他說：「I wandered lonely as a cloud, that floats on high o'er vales and hills. When all at once I saw a crowd, a host of golden daffodils. Beside the lake, beneath the trees, fluttering and dancing in the breeze.」這東西方二位詩人，同樣寫菊，不一樣的心情，不一樣的感受，真是趣味極了。

詩詞配以音樂，可歌可詠，道盡人生憂悲喜樂。若加上一些幽默感，更能帶給人意外的驚喜。蘇東坡說，有一天他在旅途中夜宿荒郊，忽聞琵琶伴著幽怨的歌聲：「吟吟吟，爾負心，真負心。辜負我，到如今。記當年，低低唱，淺淺斟，一曲值千金，如今拋我古牆吟。西風荒草白雲深，斷橋流水無故人，淒淒、切切、冷冷、清清，淒淒、切切、冷冷、清清。」他趕快跑出去，只見一個白衣女子懷抱琵琶，消失於矮牆之下。他轉身回到屋內，幽怨的琵琶聲再度響起。只是當他跑出去後，白衣女子又消失得無蹤無影，經過幾番折騰，詩人無法成寐。第二天一早，他叫人挖開矮牆邊，只見一隻琵琶，人道此物原屬當地一名妓，主人早已香消玉殞，當年歌舞昇平情景不再，於是琵琶變成了精怪，蘇東坡把這首詩寫在琵琶上，留傳了下來，您是否也覺得很羅曼蒂克呢？

聆聽音樂，洗滌心靈

江漢聲醫生曾談到聽音樂可以增強人體的免疫力，他提出兩項證據，一則是根據一九九三年密西根州立大學的研究報告，實驗者在聽完十五分鐘音樂後，血液中作為免疫指標的介白素（Interleukine）會由百分之十二提高至百分之十四。另外，也有人聽完音樂後，體內可體松（Cortisone）下降。所以江醫生建議：「以音樂做免疫相關的疾病是很有意義的，如氣喘、類風濕關節炎等病，若是擔心使用類固醇藥物的副作用，就不妨聽聽音樂。」

各位都知道，音樂的確有震撼心靈之功，西方的聖樂非常好聽，而佛教的梵唄也悅耳動人，彷彿能洗滌心靈。最近有人研究出一些音樂，配合陰陽五行，對人體心、肝、脾、胃、腎強化有益。音樂可以寄情，當年我留學德國時，一想家就會唱唱「蘇武牧羊」，於是心情也就會開朗。

進行曲（March）一向最能激勵軍心，抗戰時期一曲「黃河頌」，令人血脈賁張，詞云：「風在吼，馬在嘯，黃河在咆哮，黃河在咆哮。河西山崗萬丈高，河東河北高粱熟了，萬山叢中，抗日英雄真不少。青紗帳裡，游擊健兒逞英豪。擔起了土槍洋槍，拿起了大刀長矛，保衛家鄉，保衛黃河，保衛華北，保衛全中國。」

至於書畫的意境美，最具有提昇心靈的作用。所謂：

「詩是有聲畫，畫是無聲詩」，明末石濤、漸江、石谿、八大四位禪僧的畫，透著空靈之美。達文西的「蒙娜麗莎」，至今還有人討論她那神秘微笑後的內心世界。美國畫家安德魯・魏斯（A. Wyeth）的名畫「克麗斯汀娜的世界」（Christina's World），畫中是一望無際的草原，一位瘦骨嶙峋的婦人，朝向遠方屋子匍匐爬行。魏斯生前說，他幾乎每天都會接到來自世界各地的信，問他克麗斯汀娜究竟在做什麼？

當人們看到美好的作品，必然深受感動，由於藝術家的感情特別豐富，心靈特別敏銳，對事物的體會，必然具有獨到的眼光，因此作者的心情故事，會引起觀賞者的好奇心，於是常有人想一窺他們的心靈世界。

追尋生命，昇華人格

中國人的審美觀是：「志道、據德、依仁、遊藝」，「扶正道，助人倫」，所謂「里仁為美」，將「美」與「德」連在同一線上。中國人「寓教於藝」、「藝通於道」，所以「畫裡有乾坤」，曉雲法師就是這樣一位藝術家，因為她重視教育，所以在她的作品中，處處充滿著勵志的教材，如「度過危崖知力健」、「要從冰雪驗人生」。

生命有始有終，赫曼・赫塞（H. Hesse）《流浪者之歌》（Siddhatta），把書中主角悉達多從成長中，體驗生命、追

尋生命，至徹悟人生分成幾個階段，這位男主角也曾在生命中迷失、跌倒，但最後還是找到方向，覺悟真理，船過水無痕。

最後，談一談人格美，人類的美德如同珍珠翡翠等名貴寶物，可以莊嚴人的容顏，贏得世人的讚美和尊重。世上有一些偉大的人，無私奉獻，令人感動莫名，例如德蕾莎修女、史懷哲醫生，他們的生命為弱小貧窮的人們發熱發光，美得令人窒息，這就是「以德嚴身」。這是一種人格美，由內而外，思想、至行為、言語都散發著光輝。受到他們言行的感召，許多人都以他們為榜樣，起而效尤，如此可帶來世界愛與和平，也增添了人類對未來的信心和希望。

美育對於人生是重要的，總括而言，人性追求完美，而美的事物總是會帶來快樂。人類居住在自然美好的環境中，身心舒暢，延年益壽，而藝文之美，更有勵志之功，感動人心，無形中是昇華人格及品德的力量。

二〇〇〇年四月二十日講於「扶輪社會員代表大會」

「生命教育」有待永續耕耘

　　長期以來，關於個人生命的意義和價值，不斷在口頭
或學術上被多方探討，然而，隨著社會層出不窮的學生暴
力和偏差行為案件日益增加，青少年對他人生命的尊重，
以及自我生命的省思能力，實際上已明顯亮起了紅燈警訊
。到底是家庭結構分崩離析所造成？是社會道德淪喪所引發
？還是自我人格的偏差而影響？……那個環節出了問題固然
令人疑惑，而有何方法足以正視搶救，更教人關心：於是
，台灣教育單位在邁向二十一世紀初始，開始卯足了勁，
加緊腳步全力推動「生命教育」課程，期待這份努力，讓
更多青少年的優質人生態度，真正在校園中紮根學起。

生命教育從校園紮根的必行性和迫切性

　　馬遜：生命教育的概念源於澳洲，但由於每個國家的文
化和社會問題不同，因此，台灣生命教育的源起、內涵和
澳洲也就不太一樣。這二十年來，台灣各方面都有顯著的
發展，其中首推經濟方面的成就，相信很多人都聽過：「
台灣錢淹腳目」這句話，可惜的是，當人們在錢財上愈見

富裕，相對地也就容易變得比較懶惰和脆弱；尤其目前大部分的年輕一代，由於是在優渥的環境中長大，很少有人經歷過苦日子，所以不但缺乏憂患意識，也禁不起挫折、壓力、打擊，因此當走入逆境時，就像是溫室裡的花朵一般，容易折斷。

其次，台灣社會民主思想的發展也突飛猛進。孟德斯鳩曾說：「沒有道德的民主是危險的」；我們的民主來得太快，以致幾乎要將整個社會倫理給犧牲掉了。當年國會議員跳上國會桌子、摔麥克風、大罵老賊時，我就已經感覺到台灣的教育出了問題；事實證明，一部分人不當行為，影響至為深遠，如今有更多立委議員們，在國會殿堂動不動叫囂謾罵、動手打人！這些公眾人物的身教，在年輕人的眼裡，直接形成一種不尊重別人的示範。不管你是官員、父母、師長，有什麼值得尊重的呢？看不順眼的陌生人，砍一刀也無所謂。當民主失去了法治和倫理道德的約束，是一件十分令人憂心的事情。

再者，則是多元文化帶來的自由。羅蘭夫人說過：「自由始於鼻尖。」你當然有揮拳的自由，但是卻不能碰到別人的鼻子，倘若碰著了，你就是妨礙了別人的自由。多元文化本身是一件好事，然而，它為台灣社會所帶來的自由似乎氾濫了，其中最明顯的現象就是性氾濫、墮胎、一夜情等問題，而這些問題在在都造成了婚姻價值的低落——沒

有人願意結婚，性關係有了也很容易解決；而家庭關係的不保，使得父母離異、單親家庭、外遇等事件，不斷對孩子們的心理產生傷害。我們別忘了，小孩永遠都是受傷最深的一群。

此外，不論是國家認同問題形成的歸屬矛盾，或者外來文化衝擊，致使年經一代的價值扭曲，抓不出自己的中心思想和人生的方向，這些都是台灣社會的大問題。最嚴重的是，近一年來的經濟不景氣，引發失業率的痛苦指數攀升，整體人心浮動，焦躁不安，不但讓人對於自己的前途憂鬱、徬徨，也進而在社會上間接引發一些暴力和自殺問題，而這些，都是當今台灣非常有必要推動生命教育的主要社會背景。

曾志朗：教育部宣布今年是台灣的「生命教育年」，然而事實上，早在「教育部」還稱之為「教育廳」的時代，台灣對於生命教育的概念就已經提出來了，而當時也委託了私立曉明女中，協助政府進行關於生命教育的實驗性課程、活動；由於曉明女中是一所教會學校，因此也讓人從中發現，其實各種不同的宗教，將能夠在生命教育這件事情上，發揮很大的助力。另外，有一陣子，社會上有不少人開始談論所謂的「修練」，因此也使我們深切感受到，台灣的確是走到一個必須去了解、追尋自我內在的階段歷程了。

台灣社會的關鍵問題，在於外在的聲色媒體太多，也

變換得太快，讓許多年輕人的價值觀錯亂，沒有辦法掌握住一個比較永恆的中心思想，也正因為如此，我們開始覺得有責任將失落的這一部分，趕緊好好地建立起來。所以，當一群人忙著在談教改時，我曾在發表的一篇文章裡寫道：「教育改革再怎麼改，假如生命教育這個環節沒有被充分考慮，教改就等於沒有做完全，因為，它才是重要的核心。」我想，不論是要豐富、欣賞，或者關懷生命，這些都和教改試圖讓一個人能夠快樂學習，有著密不可分的關係。

所以，當我進入教育部之後，遂開始由推行兒童閱讀活動起跑，最主要的原因是為了想喚醒家長們，必須培養自己的孩子擁有活潑的思維；因為，除了死讀書之外，我們也可以從了解他人閱歷和心靈的過程中，進一步豐富自己的感受，或者學到課本以外的知識。兒童閱讀的活動，其實正是在替生命教育這件事情鋪路。爾後，除了組成專門的生命教育委員會，決心大力推動生命教育政策之外，今年教育部也特別為此編列了四千萬的預算，雖然不多，但其他諸如社教、訓育委員會……等等各相關部門，都能夠將他們的經費一併投進，讓整個政策可以順利上路。由於國中學生除了要面對升學壓力之外，也是身心成長最重要的階段，因此，生命教育推行的重心將以國中為主，再往上推至高中、大學，向下則一定要融入九年一貫教育之中。

宗教對於生命教育所發揮的影響

曾志朗：當我進入教育部而決心推動生命教育時，赫然發覺華梵大學已經推行所謂的「覺之教育」很久了，後來更得知如玄奘大學也已後起傚尤，積極力行，試圖在教育體系中，指引我們的學生，擁有一個健康的價值觀和人生方向。因此，我相信不管是基督、天主、佛教，或者其他各種宗教，其實都已感受到生命教育的重要性，而政府要做的就是一同努力來健全和加速推展。

過去，宗教教育之所以被排拒在校園門外，乃是由於每位知識份子皆認為，宗教是屬於個人的私事，而忽略了宗教本身對於社會的深遠影響，尤其是關於宗教洗滌人心的力量之產生，我相信那股力量的凝結，將可以在邪惡之事出現時，透過它在短時間之內，發揮扭轉和拯救的效果。所以，宗教之於教育，確實是非常重要的一個環節，也應該被正視。

教育部推動的生命教育政策，主張讓宗教課程進入校園，這份用意並非是在鼓勵學生信教，而是，對於宗教本質如何潛移默化人心，或者讓大家在經由信仰後而有境界的提昇，寄予厚望。正因為生命的本身充滿無限奇妙，因此我個人非常期待有更多人，透過宗教教育的啟發，對於自己之所以為「人」，有深刻的體悟和了解。但是，有一點也

十分重要，那就是——別讓宗教教育淪為迷信，而是藉由它來觀察、拉拔自己。

馬遜：談到生命教育，絕不可能不談及生命的起緣，而關於這點，不同的宗教也會有不同的解釋，例如基督教、天主教，他們談論創造天地、一切大能的神；而在中國思想教派裡頭，則相信人必須要自覺、慈悲，向內開拓智慧，向外服務利他。然而，不管是什麼宗教，早期我們可能基於它所蒙上的神秘色彩而感到害怕，所以它也就始終被排拒在校門之外；而現在，台灣雖然什麼樣的宗教都有了，但是最根本的宗教教育卻還始終缺乏。就如同部長所說的，要將宗教變成一種教育，而不是一種迷信，如吃香灰、燒紙錢……等等迷信或習俗，將宗教的中心思想和人生自覺的道路找出來，才是真正宗教教育的意義所在。

我曾和部長提過，華梵的生命教育就是「覺之教育」；所謂「覺」，其實就是自我反省，返觀內明，這和本身是否篤信佛教並沒有關係，而是教導學生們試著在心裡點上一盞智慧的燈，用智慧來反照內心的混沌不明、雜念煩惱，並指引出一條人生的方向。我還記得部長在寄給我的一張賀年卡裡寫道：「不覺之生命毫無意義。」生命就是要覺，如果每個人都能夠自覺，可能社會就沒有那麼多問題了。

當然，除了宗教教育是生命教育的一環外，生命科學同樣也是重要的一部分。當我們了解了人體的奧妙後，難

道不會讚嘆自己生命的可貴嗎？除此以外，不論是倫理學
、社會學等層面，也不容被忽視。宗教提供的是一個中心
思想，是心靈的充實和依靠，生命教育雖非以宗教作為起
點，但的確非常需要宗教的配合。

透過課程的設計來潛移默化學生的心理機制

　　曾志朗：目前有許多的家長反應，他們並不了解學校推
行的生命教育，到底是一種什麼樣的理念？其實，學校裡
的學生來自各個不同的地方、家庭，難免會有衝突和對立
，所以現階段我們希望能藉由一些簡明、有效的課程設計
，來替校園和教室營造一個好氣氛，以及能夠共同讀書、
討論的環境。

　　由於學校裡的老師和同學，對於過度活潑，或者認為
其有暴力傾向的學生，通常會在不知道該如何對待或相處的
情況下，乾脆對他們採取了孤立的態度，然而孤立的結果
，往往只會形成更多的對立。因此，倘若我們能夠透過某
種活動的進行，讓彼此間共同合作完成一個目標，這不僅
能減少雙方的對峙，也能讓這堂課程發揮最大的意義和價值
；或者，也可以設計一些設身處地、感同身受的課程，讓
同學身歷其境地去了解，別人為何會有某項特殊的習性，
如此一來，自然可以使他們體會別人有不得已的苦衷，而
不會一概排斥和否決他人。

當一起青少年闖禍、自殺的事件發生，我們不要一味地怪罪家庭教育不好、社會價值不對，其實學校是可以做一些事情的。在教育體系中，努力營建一種氣氛好的學習環境，也許在無形之中，學生就會將在學校所感受到的溫馨帶回家裡。此外，我們也發現愈來愈多的家長，願意參與小孩子的校內活動，尤其在國小和國中階段，台灣所謂的「愛心媽媽」真是不少，而這群人，同樣可以把他們所經驗的好感覺帶回家，這麼一來，不但影響的面向廣，而且也能持久深遠。

最近，媒體上經常談起校園暴力，事實上，台灣目前校園裡的暴力還算小，但是，卻都發生到校外去了；這是因為，台灣的問題學生不但長期被標誌化，而且也被排拒在校門之外，即使有心讓他們重回學校，但師生和社會大眾仍根深柢固認為他們是壞孩子，以致讓這群人終究無法相融於團體中。有關中輟生的問題，一直十分受到台灣教育界的關心，雖然我們不能說功課好的同學就一定是好學生，但是，我們卻知道許多功課並不十分出色的同學，其實是非常優秀的好孩子，而教改的目的，便是期盼能看到一位位具有ＭＱ（Moral Quotient，道德智商）的好孩子。

實際推行上可能會遭遇的問題

馬遜：我想，好的理念如果過於學術化，勢必會阻礙

它的功能，就好比過去我們在學生時代讀三民主義的心態，便是一個很好的例子。相信當年有很多學生，在面對三民主義這門課時，不只覺得它無聊，還都抱持了排斥的心理，經常是臨考前的一天，才拿著書不知所以然地囫圇吞棗；這是什麼原因呢？——我們只能說，一旦好理想變成了口號，往往就不受用了。

同樣的，我也希望生命教育不要變得過於學術化，應該要注意它的實踐層面。尤其台灣人有個毛病，許多理想一提出來，經常會被不斷地重複討論，或者舉辦各種研討會，卻往往忽略了前線教育者真正能夠落實的方法。既然生命教育要從學校紮根，那麼就要力行「感動」的教育，直接能點入學生們的心坎裡，若只是在表面上隔靴搔癢，是搔不到癢處，也達不到成效的。此外，實施生命教育最缺乏的就是老師，雖然每一位進入校園的老師，都擁有高學歷和專業，但是卻不見得人人都對教育充滿了熱忱，而關於這一點，相信教育部也十分了解。

生命教育是否會淪為短線操作？

曾志朗：絕沒有這回事。我們所做的每一件事情都不是短線操作，因為，教育是長長遠遠的志業，也必須持續朝心靈改造和自我進修的方向進行，絕不可能做一半就丟了不管。今天，當我們提出生命教育的理念，也馬上獲得台灣

知識份子的迴響，就代表大家的心裡，其實都已經有所感
受，而我們不單只是站出來喊話，也有計劃將這群有心人
士結合起來，相信能夠形成一股強大的社會共識。

　　我想，有很多的家長和老師已經能夠體認到，過去的
教育政策，只逼著大家一天到晚死背書，然而生命教育的
推動，將使得孩子們了解，書的閱歷只是生命中的一部
分，最重要的還是要坦然接受自己的生命，發掘自我有別於
他人的潛能特質，並加以盡情地發揮；而這點不只是生命
教育的重要理念，更是教育的本質，因此我才會說：這絕
對不可能是短線操作。

　　馬遜：首先，我承認現在不論是社會、學校、家庭，
對於小孩子的關心顯然都不足夠，而我的想法也和部長一樣
：學校的確可以居中做一些努力。此外，我也認為：「教
育者，沒有失望和悲觀的權利。」一個擔任教育工作的人
，他必須心存希望，如果連他自己都失去樂觀的態度，那
大家乾脆一起沉淪好了。

　　每年，當面對一個個華梵的新鮮人，我都會對這些學
生說：「你們進入學校，就是我們的孩子，我們有責任愛
你們，而你們也有犯錯的權利。」我想，不單是在成長過
程中的年輕人會犯錯，就連我們這把歲數的人，同樣也有
可能處事不當，所以年輕人也一樣可以糾正我們，這才是
所謂的「教學相長」，也是教育的真義。我希望生命教育

在所有有心人的推動下，能夠讓每個獨立個體都擁有一個寬廣的空間，並且自由自在地發揮和展現其最好、最美的一面。

轉自《張老師月刊》281期

國家圖書館出版品預行編目資料

覺教揚帆／馬遜著 . --　　初版 . -- 臺北市；遠
流，2003〔民92〕
　　面；　公分 . --（大學館；UR052）

ISBN 957-32-5007-1（平裝）

1. 論叢與雜著

078　　　　　　　　　　　　　　　92011932